A GUERRA EM DEBATE

Título original: *Arguing about war*

© 2004, Michael Walzer
© Edições Cotovia, Lda., Lisboa, 2004

ISBN 972-795-097-3

Michael Walzer

A guerra em debate

Tradução de
Luísa Feijó

Livros Cotovia

Índice

Para JBW, sempre

Introdução

A famosa frase de Clausewitz, que diz que a guerra é a conti-nuação da política por outros meios, destinava-se provavelmente a ser provocatória mas, na minha opinião, é indubitavelmente verdadeira. E o contrário é igualmente indubitável: a política é a continuação da guerra por outros meios. É muito importante, porém, sublinhar que os meios são diferentes. A política é uma forma de disputa pacífica, a guerra é violência organizada. Todos os participantes, todos os activistas e militantes, sobrevivem a uma derrota política (a menos que o vencedor seja um tirano, em guerra com o seu próprio povo), enquanto que muitos participan-tes, tanto soldados como civis, não sobrevivem a uma derrota mi-litar — nem, tampouco, a uma vitória. A guerra mata e é por isso que o debate sobre a guerra é tão intenso.

A teoria da guerra justa, que eu defendi em *Just and Unjust Wars* (1977) e que desenvolvi e apliquei nos ensaios aqui coligi-dos, é, em primeiro lugar, uma argumentação sobre o estatuto moral da guerra enquanto actividade humana. O argumento é duplo: diz que a guerra se justifica por vezes, e que a condução da guerra está sempre sujeita à crítica moral. A primeira destas pro-postas é rejeitada pelos pacifistas, que acreditam que a guerra é um acto criminoso; e a segunda é rejeitada pelos realistas, para quem "no amor e na guerra vale tudo": *inter arma silent leges* (em tempo de guerra calam-se as leis). Assim, os teóricos da guerra justa situam-se em oposição a pacifistas e a realistas, que existem em grande número, embora alguns pacifistas sejam selectivos na sua oposição à guerra e alguns realistas já tenham exprimido, no calor da batalha, sentimentos de ordem moral.

Mas a teoria da guerra justa não é apenas um argumento sobre a guerra em geral; é também a linguagem vulgar com que discutimos as guerras individuais. É o modo como falamos quase todos quando entramos nos debates políticos sobre se se deve combater e como combater. Ideias como a autodefesa e a agressão, a guerra como um combate entre combatentes, a imunidade dos não-combatentes, a doutrina da proporcionalidade, as regras da rendição, os direitos dos prisioneiros — tudo isto é nosso património comum, o produto de muitos séculos de debate sobre a guerra. A "guerra justa" não passa de uma versão teórica de tudo isto, destinada a ajudar-nos a solucionar problemas de definição e de aplicação ou, pelo menos, a pensar neles com clareza.

Quero abordar duas das críticas feitas à teoria da guerra justa, pois ouvi mencioná-las muitas vezes — especificamente em resposta a alguns dos artigos aqui coligidos. A primeira diz que aqueles de entre nós que defendem e aplicam a teoria estão a moralizar a guerra e, ao fazê-lo, estão a tornar o combate mais fácil. Estamos a retirar o estigma que devia estar sempre ligado ao ofício de matar, que é aquilo que a guerra é necessariamente. Quando definimos os critérios mediante os quais se pode julgar a guerra e a condução da guerra, estamos a abrir caminho a juízos favoráveis. Muitos desses juízos terão um carácter ideológico, partidário ou hipócrita e, por isso, estão sujeitos a críticas; mas alguns deles, à luz da teoria, estarão correctos: algumas guerras e alguns actos de guerra acabarão por ser "justos". Como é que tal é possível, sendo a guerra uma coisa tão terrível?

Mas aqui "justo" é um termo artificial; significa justificável, defensável, moralmente necessária até (tendo em conta as alternativas) — e não significa mais do que isso. Todos nós, que discutimos as virtudes e os malefícios da guerra, concordamos que a justiça no seu sentido mais forte, no sentido que tem na sociedade e na vida quotidiana, se perde no momento em que começam os combates. A guerra é uma zona de coerção radical, em que há sempre uma nuvem a esconder a justiça. No entanto, por vezes é com razão que penetramos nessa zona. Para quem cresceu durante a Segunda Grande Guerra, este parece-me ser outro ponto óbvio. Existem actos de agressão e actos de crueldade aos quais temos obrigação de resistir, se necessário pela força. Pensava que a nossa experiência com o Nazismo tinha posto cobro a este argumento particular, mas o debate continua — e, daí, as discordâncias sobre a intervenção humanitária que abordo nalguns destes ensaios. O recurso à força militar para acabar com a matança no Ruanda, teria sido, na minha opinião, uma guerra justa. E se este ponto de vista "moraliza" a força militar e facilita a sua utilização — ora bem, então oxalá tivesse facilitado a sua utilização em África, em 1994.

A segunda crítica à teoria da guerra justa é de que esta enquadra a guerra de uma maneira errada. Centra a nossa atenção nas questões que estão imediatamente em causa antes de a guerra começar — no caso da recente guerra do Iraque, por exemplo, nas inspecções, no desarmamento, nas armas escondidas, etc. — e, depois, na condução da guerra, batalha após batalha; e assim foge às questões mais importantes sobre a ambição imperial e a luta global por recursos e por poder. É como se os cidadãos do mundo antigo se centrassem unicamente no conflito entre Roma e alguma outra cidade-estado por causa da quebra eventual de um tratado, coisa que os romanos sempre invocavam como motivo para atacar, e nunca discutissem a longa história da expansão romana. Mas, se os críticos conseguem estabelecer uma distinção entre as desculpas forjadas da guerra e as suas verdadeiras razões de ser, porque não poderemos nós fazer o mesmo? A teoria da guerra justa não tem limites temporais fixos; pode ser utilizada para analisar uma longa cadeia de acontecimentos, tanto como para analisar um breve evento. De facto, como pode ser criticada a condução imperial da guerra se não for em termos de guerra justa? Que outra linguagem existe, que outra teoria, para proceder a essa crítica? As guerras agressivas, as guerras de conquista, as guerras destinadas a alargar as esferas de influência e a criar estados satélites, as guerras de expansão económica — todas elas são guerras injustas.

A guerra justa é uma teoria feita para a crítica. Mas isso não significa que todas as guerras tenham que ser criticadas. Quando eu defendi a recente guerra do Afeganistão, alguns dos meus críticos afirmaram que, dado que me tinha oposto à guerra americana no Vietname e a muitas das nossas pequenas guerras e a guerras feitas por interpostas pessoas na América Central, estava agora a ser incoerente. Mas isso é como dizer que um médico que diagnostica um cancro a um paciente é obrigado a fazer o mesmo diagnóstico a todos os seus outros pacientes. Os mesmos critérios médicos levam a diagnósticos diferentes, em diferentes casos. E os mesmos critérios morais levam a juízos diferentes, em guerras diferentes. Os juízos são, contudo, controversos, mesmo quando se concorda com os critérios: leiam o meu ensaio sobre o Kosovo e depois peçam uma segunda opinião. Não terão qualquer dificuldade em encontrar uma opinião diferente da minha; e isso é verdade também em relação a todos os meus outros argumentos. O facto de discordarmos, porém, não torna a guerra justa diferente de qualquer outro conceito moral (ou político). Vemos diferentemente a mesma acção militar, tal como vemos diferentemente as mesmas eleições. Não estamos de acordo acerca da corrupção, da discriminação e da desigualdade, mesmo quando falamos destas três coisas com a linguagem comum da teoria democrática. O desacordo não invalida a teoria; a teoria, quando é boa, torna os desacordos mais coerentes e compreensivos.

Os desacordos permanentes, juntamente com um ritmo rápido de alterações políticas, exigem por vezes que a teoria seja revista. Agrada-me pensar que tem havido uma grande coerência nos meus juízos desde *Just and Unjust Wars*. Mas mudei de ideias ou alterei a tónica da argumentação relativamente a algumas coisas, e penso que é correcto reconhecê-lo aqui. Perante o número de horrores recentes — massacres e limpeza étnica na Bósnia e no Kosovo, no Ruanda, no Sudão, na Serra Leoa, no Congo, na Libéria e em Timor-Leste (e, anteriormente, no Camboja e no Bangladesh) — fui-me tornando, pouco a pouco, mais disposto a apelar a uma intervenção militar. Não descartei totalmente o meu preconceito contra a intervenção, que defendi no meu livro, mas acho cada vez mais fácil ultrapassar esse preconceito. E, perante a experiência repetida da falência do estado, da reemergência de uma forma de política a que os historiadores europeus chamam "feudalismo bastardo", dominado por bandos que se guerreiam e por futuros líderes carismáticos, sinto-me mais disposto a defender as ocupações militares duradouras, sob a forma de protectorados e de administrações territoriais, e a considerar a reconstrução de nações como uma parte necessária da política do pós-guerra. Ambas estas mudanças de perspectiva exigem-me também que reconheça a necessidade de um alargamento da teoria da guerra justa. *Jus ad bellum* (que trata da decisão de entrar em guerra) e *jus in bello* (que trata da condução das batalhas) são os elementos padrão da teoria e foram elaborados inicialmente pelos filósofos católicos e pelos juristas da Idade Média. Temos agora de acrescentar a estes dois elementos o *jus post bellum* (a justiça depois da guerra). Em *Just and Unjust Wars* escrevi um capítulo sobre a justiça no pós-guerra, mas é demasiado breve e não aborda, sequer minimamente, muitos dos problemas que surgiram no Kosovo e em Timor-Leste e, recentemente, no Iraque. É necessário aqui mais trabalho, tanto no que toca à teoria como à prática da restauração da paz, da ocupação militar e da reconstrução política.

Chamei "permanentes" a estes argumentos sobre a guerra. Na realidade, o mais provável é que sejam intermináveis. Houve esforços para abolir a guerra — estão reflectidos na Carta das Nações Unidas —, tratando a agressão como um acto criminoso e descrevendo qualquer resposta como uma "acção de polícia". É aquilo a que os chineses chamam — ou costumavam chamar — "rectificação de nomes". Mas não é por mudar os nomes que se muda a forma como se fala da realidade, como é possível ver-se no caso original: não há historiador que não chame guerra à acção policial da ONU na Coreia, em 1950. Apesar disso, o impulso é recorrente. Vimo-lo em acção no rescaldo imediato do 11 de Setembro de 2001, quando muita gente, nos Estados Unidos e na Europa, insistia que o ataque era um crime e que não devíamos entrar em guerra (como rapidamente fizemos no Afeganistão), mas sim chamar a polícia. A ideia que me veio ao espírito foi que esta reacção ao 11/9 era do tipo "ligar para o serviço de emergência", o que, aliás, seria uma reacção perfeitamente plausível se, do outro lado da linha, houvesse alguém para atender o telefone. Num estado global, com o monopólio do uso legítimo da força, chamar a polícia seria a reacção correcta à violência. O crime, a perseguição do criminoso pela polícia e o julgamento e punição do criminoso — estes três actos esgotariam o campo de acção; só saberíamos da guerra pelos livros de história. Mas esta não é uma descrição do mundo em que vivemos e, mesmo que o nosso objectivo fosse um estado global (levanto algumas dúvidas quanto a isto no último destes ensaios), seria um grande erro pretender que já o alcançámos.

Estamos, pois, condenados a continuar a debater a guerra; é uma actividade necessária de cidadãos democráticos. A teoria da guerra justa teve uma história académica nos anos recentes, mas não é essa a história que está aqui representada. Nenhum destes ensaios foi publicado num jornal académico normal. Quase todos foram escritos para revistas políticas ou foram palestras proferidas perante cidadãos civis e militares (dois deles em academias militares, outros dois em lições na universidade). Todos eles são actos políticos, e essa é a minha desculpa para eventuais repetições dos argumentos; cortei alguns deles, mas não todos. Os teóricos políticos gostam de ser originais, mas a política é uma arte da repetição. "Tentar e voltar a tentar" é uma máxima que não só os activistas deviam seguir como também os publicistas: se um argumento não convence gente suficiente da primeira vez que é apresentado, não há outro remédio senão repeti-lo.

O primeiro grupo de ensaios trata de questões genéricas como a dissuasão, o terrorismo e a intervenção humanitária. São, em parte, tentativas de esclarecimentos teóricos, mas são também, o que é bem mais importante, compromissos políticos. Quando os escrevi estava a juntar-me aos debates que se travavam nesse momento. Suponho que me estava a juntar a esses debates como teórico, mas o meu interesse era político, não era filosófico. Isto é ainda mais verdade quanto ao segundo grupo de ensaios, todos eles escritos em resposta a determinadas guerras. Foram publicados antes, durante e depois dos combates, mas sempre como parte de um debate público sobre um tempo e um local particulares e sobre um conjunto particular de decisões políticas ou militares. O último ensaio é o meu esforço para imaginar um futuro em que a guerra desempenhasse um papel menos importante nas nossas vidas. Não é uma descrição utópica de uma sociedade internacional, é apenas uma descrição de algo menos mau do que aquilo que hoje existe. De facto, esse é o objectivo da maior parte dos argumentos apresentados pelos teóricos da guerra justa; podemos opor-nos ao "realismo", mas não somos irrealistas, como espero que estes ensaios demonstrem. A razão que nos leva a procurar a justiça, mesmo por detrás da nuvem, é evitar os desastres. Quando queremos mais do que isso, como deveríamos querer, precisamos da orientação de diferentes teorias políticas.

Para além de cortar (algumas) repetições, acrescentei também, sempre entre parênteses, algumas referências a artigos anteriores ou posteriores nesta colectânea. Quando um determinado ensaio foi publicado em versões diferentes em revistas estado-unidenses e europeias, ou quando foi publicado primeiro em revistas e depois em livro, senti que era livre de escolher a versão cuja leitura fosse, hoje em dia, mais agradável. Cortei alguns comentários irrelevantes assim como algumas referências locais e imediatas, agora ultrapassadas. Alguns dos artigos têm notas, outros não; não me preocupei com a uniformização do sistema de citações. Nalguns pontos recuperei uma palavra ou frase que o editor tinha cortado ou alterado. Para além disso, não fiz revisões. Deixo aos meus leitores e aos meus críticos os benefícios do distanciamento.

PRIMEIRA PARTE
TEORIA

1. O triunfo da teoria da guerra justa (e os perigos do sucesso) (2002)

Algumas teorias políticas morrem e vão para o céu; outras, espero eu, morrem e vão para o inferno. Mas algumas têm uma longa vida neste mundo, na maioria dos casos uma história ao serviço dos poderes vigentes, mas também, por vezes, uma história de oposição. A teoria da guerra justa teve início ao serviço dos poderes vigentes. Pelo menos é assim que interpreto a proeza de Agostinho, que conseguiu substituir o pacifismo cristão, com a sua recusa radical, pelo ministério activo do soldado cristão. Dali em diante, os cristãos piedosos podiam lutar em nome da cidade secular, em nome da paz imperial (neste caso, literalmente, a *pax romana*); mas tinham de lutar com justiça, apenas em nome da paz e sempre, insistia Agostinho, numa atitude humilde, sem raiva nem luxúria.[1] Visto pela óptica do cristianismo primitivo, esta justificação da guerra justa era um simples pretexto, uma maneira de fazer com que a guerra fosse moral e religiosamente possível. E era essa, na realidade, a função da teoria. Mas os seus defensores teriam dito — e eu sinto-me inclinado a concordar com eles — que isto tornou a guerra possível num mundo onde, por vezes, a guerra era necessária.

Logo desde o início, a teoria apresentava algumas vantagens fundamentais: partia-se do princípio de que os soldados (ou, pelo menos, os oficiais que os comandavam) se recusavam a lutar em guerras de conquista e se opunham a, ou se abstinham de violações e pilhagens, práticas militares habituais quando se ganhava uma

---

[1] A opinião de Santo Agostinho sobre a guerra justa encontra-se em *The Political Writings of St. Augustine*, ed. Henry Paolucci (Chicago: Henry Regnery, 1962), 162-83; os leitores modernos terão necessidade de um comentário: ver Herbert A. Dean, *The Political and Social Ideas of St. Augustine* (Nova Iorque: Columbia University Press, 1963), 134-71.

guerra. Mas a guerra justa era uma teoria secular, em todos os sentidos de tal termo, e continuou a servir interesses seculares em oposição ao radicalismo cristão. É, no entanto, importante sublinhar que o radicalismo cristão tinha mais do que uma versão: podia exprimir-se através de uma rejeição pacifista da guerra, mas também se podia exprimir na própria guerra, na cruzada por motivos religiosos. Agostinho opôs-se à primeira destas versões; a escolástica medieval, na peugada de Aquino, ergueu-se contra a segunda. A declaração clássica é a de Vitoria: "A diferença de religião não pode ser uma causa para a guerra justa". Durante séculos, desde a época das Cruzadas até às guerras religiosas dos anos da Reforma, muitos dos padres e pregadores da Europa cristã, muitos senhores e barões (e, inclusivamente, alguns reis) tinham defendido a legitimidade da utilização de força militar contra os infiéis: tinham a sua própria versão da Jihad. Vitoria argumentava, por contraste, que "a única causa justa para fazer a guerra é quando algum mal foi cometido".[2] A guerra justa era um argumento do centro religioso contra os pacifistas, por um lado, e contra os santos guerreiros, por outro, e, por causa dos seus detractores (e isto apesar de os seus proponentes serem teólogos), assumiu-se como uma teoria secular — o que é simplesmente uma outra forma de descrever a sua secularidade.

Assim, os governantes deste mundo adoptaram a teoria e não fizeram nenhuma guerra sem a descrever — ou sem arregimentar alguns intelectuais que assim a descrevessem — como uma guerra pela paz e pela justiça. Na maior parte dos casos tratava-se, é evidente, de uma descrição hipócrita: o tributo que o vício paga à virtude. Mas a necessidade de pagar o tributo coloca aqueles que o pagam à mercê da crítica dos virtuosos — quer dizer, dos bravos e virtuosos, dos quais houve apenas um punhado (mas também se poderia dizer: dos quais houve, pelo menos, um punhado).

---

2 Ver Francisco de Vitoria, *Political Writings*, ed. Anthony Pagden e Jeremy Lawrance (Cambridge: Cambridge University Press, 1991), 302-4 e, para comentários, ver James Turner Johnson, *Ideology, Reason, and the Limitation of War: Religious and Secular Concepts, 1200-1740* (Princeton: Princeton University Press, 1975) 150-71.

Citarei um momento heróico da história do mundo académico: algures por volta de 1520, a faculdade da Universidade de Salamanca reuniu-se em assembleia solene e votou que a conquista espanhola da América Central era uma violação da lei natural e uma guerra injusta.[3] Não consegui saber nada sobre o que aconteceu subsequentemente aos bondosos professores. Não houve, certamente, muitos momentos como este, mas aquilo que se passou em Salamanca sugere que a guerra justa nunca perdeu as suas vantagens fundamentais. A teoria fornecia razões seculares para fazer a guerra, mas as razões eram limitadas — e tinham obrigatoriamente de ser seculares. A conversão dos astecas ao cristianismo não era uma causa justa; tal como justo não era que os conquistadores se apoderassem do ouro das Américas ou escravizassem os seus habitantes.

Escritores como Grotius e Pufendorf incorporaram a teoria da guerra justa na lei internacional, mas o advento do estado moderno e a aceitação legal (e filosófica) da soberania do estado empurraram a teoria para segundo plano. O primeiro plano político estava agora ocupado por pessoas em quem podemos pensar como príncipes maquiavélicos, homens duros (e, por vezes, mulheres) movidos por "razões de estado" que faziam aquilo que (diziam eles) tinham de fazer. A prudência secular triunfou sobre a justiça secular; o realismo triunfou sobre aquilo que, cada vez mais, era depreciado como sendo um idealismo ingénuo. Os príncipes deste mundo continuaram a defender as suas guerras recorrendo à linguagem da lei internacional que era também, pelo menos em parte, a linguagem da guerra justa. Mas as justificações ficavam muito aquém dos factos, e suspeito que eram os intelectuais menos importantes do estado que as aduziam. Os estados reclamavam-se do direito a lutar sempre que os seus governantes o considerassem necessário, e os governantes decretavam que

---

[3] Ver James Boswell: *Life of Samuel Johnson LL.D.*, ed. Robert Maynard Hutchins, vol.44 de *Great Books of the Western World* (Chicago: Encyclopedia Britannica, 1952), 129, citando o Dr. Johnson: " 'Amo a Universidade de Salamanca porque, quando os espanhóis tiveram dúvidas sobre a legitimidade de conquistar a América, a Universidade de Salamanca declarou que, na sua opinião, a conquista não era legítima'. Disse estas palavras com grande emoção."

soberania significava que ninguém podia julgar as suas decisões. Não só lutavam quando muito bem lhes apetecia; lutavam também como muito bem lhes apetecia, retomando a velha máxima romana que considerava a guerra uma actividade sem lei: *inter arma silent leges* — o que, mais uma vez, equivalia a dizer que nenhuma lei se sobrepunha ou ultrapassava os decretos do estado; qualquer restrição convencional à guerra podia sempre ser suprimida para bem da vitória.[4] Os argumentos sobre a justiça eram tratados como uma espécie de moralização, inadequada às condições anárquicas da sociedade internacional. Para este mundo, a guerra justa não era suficientemente secular.

Na década de 1950 e inícios dos anos 60, nos meus tempos de estudante, o realismo era a doutrina que imperava no campo das "relações internacionais". A referência padrão não era a justiça mas, sim, o interesse. O argumento moral opunha-se às regras da disciplina tal como esta era vulgarmente praticada, embora alguns escritores defendessem o interesse como sendo a nova moralidade.[5] Havia muitos cientistas políticos nessa época que se vangloriavam de ser Maquiavéis modernos e sonhavam em segredar à orelha do príncipe; e alguns deles, em número suficiente para estimular a ambição de outros, conseguiram realmente segredar. Esforçavam-se por serem cínicos e duros; ensinavam aos príncipes — que nem sempre precisavam de ser ensinados — como obter resultados através de uma aplicação calculada da força. Os resultados eram entendidos em termos do "interesse nacional", o qual equivalia à soma, objectivamente determinada, do poder e da riqueza aqui e agora mais a probabilidade de poder e riqueza futuros. Considerava-se quase sempre que, quanto mais abundantes fossem o poder e a riqueza, melhor; e apenas um punhado de

---

[4] Com algumas hesitações, cito a minha própria argumentação sobre a necessidade militar (e as referências aí feitas a um tratamento mais curial): Michael Walzer, *Just and Unjust Wars* (Nova Iorque, Basic Books, 1977) 144-51, 239-42, 251-55.

[5] A melhor análise sobre os realistas encontra-se em Michael Joseph Smith, *Realist Thought from Weber to Kissinger* (Baton Rouge: Louisiana State University Press, 1986); o capítulo 6, sobre Hans Morgenthau, é particularmente relevante para a posição que aqui defendo.

autores reivindicava a adopção de limites cautelares; os limites morais, tanto quanto me lembro dessa época, nunca eram discutidos. A teoria da guerra justa era relegada para os departamentos da religião, seminários teológicos e algumas universidades católicas. E mesmo nesses locais, isolados como estavam do mundo político, empurrava-se a teoria para posições realistas; por uma questão de autodefesa, talvez, os seus proponentes faziam algumas cedências no que tocava às vantagens fundamentais da teoria.

O Vietname alterou tudo isto, embora levasse algum tempo até que a mudança se repercutisse ao nível teórico. No princípio, as coisas ocorreram no âmbito da prática. A guerra tornou-se um tema de debate político; havia uma forte oposição à guerra, nomeadamente nos meios da esquerda. Tratava-se de pessoas fortemente influenciadas pelo marxismo; falavam também uma linguagem de interesses; também elas, tal como os príncipes e os professores da política americana, desdenhavam qualquer moralização. Apesar disso, a experiência da guerra forçou-as a recorrer a argumentos morais. É claro que, a seus olhos, a guerra era radicalmente imprudente; não podia ser ganha; os custos, mesmo que os americanos pensassem apenas em si próprios, eram demasiado elevados; era uma aventura imperialista insensata, até para os imperialistas; opunha os Estados Unidos à causa da libertação nacional, o que os alienaria do Terceiro Mundo (e de partes significativas do Primeiro). Mas nenhuma destas afirmações conseguia exprimir na totalidade os sentimentos de muitos daqueles que se opunham à guerra, sentimentos esses que tinham a ver com a oposição sistemática dos civis vietnamitas ao modo violento como os americanos faziam a guerra. Quase contra vontade, a esquerda caiu na moralidade. Todos nós, no campo anti-guerra, desatámos de repente a falar a linguagem da guerra justa — embora não soubéssemos que era isso que estávamos a fazer.

Parece estranho recordar desse modo os anos 60, pois hoje em dia a esquerda parece precipitar-se com a maior das facilidades em argumentos morais, inclusive em argumentos morais de tipo absolutista. Mas esta descrição da esquerda contemporânea parece-me errónea. Um certo tipo de moralização politizada, instrumental e altamente selectiva é, de facto, cada vez mais comum entre os autores de esquerda, mas não se trata de uma argumentação moral séria. Não foi isso que aprendemos — ou deveríamos ter aprendido — com os anos do Vietname. O que aconteceu nessa altura é que gente de esquerda, mas também muitas outras pessoas, procuraram uma linguagem moral comum. E aquela que estava mais ao nosso alcance era a da guerra justa. Estávamos, todos nós, um pouco enferrujados, desabituados de falar de moralidade em público. A ascendência realista privou-nos até das palavras de que necessitávamos, que lentamente íamos exigindo: agressão, intervenção, causa justa, auto-defesa, imunidade do não-combatente, proporcionalidade, prisioneiros de guerra, civis, duplo efeito, terrorismo, crimes de guerra. E acabámos por compreender que estas palavras tinham significado. É claro que podiam ser instrumentalizadas; é uma coisa que acontece sempre aos termos políticos e morais. Mas se nos ativéssemos ao seu significado encontrar-nos-íamos envolvidos numa discussão que tinha a sua própria estrutura. Tal como as personagens de um romance, também numa teoria os conceitos dão forma à narrativa ou ao argumento em que figuram.

Quando a guerra acabou, a guerra justa tornou-se um tema académico; os políticos e os cientistas descobriam, agora, a teoria; esta aparecia escrita nos jornais e era discutida nas universidades — e também nas academias e escolas militares (americanas). Um pequeno grupo de veteranos do Vietname desempenhou um papel da maior importância ao transformar a disciplina da moralidade num tema central do curriculum militar.[6] Tinham más recordações. Acolheram a teoria da guerra justa precisamente porque esta era, a seus olhos, uma teoria crítica. E é na realidade duplamente crítica — em relação à ocorrência da guerra e à maneira como é travada. Calculo que era este último aspecto que mais interpelava os veteranos. Não era apenas por quererem evitar, em

---

[6] Anthony Hartle é um dos veteranos que acabou por escrever um livro sobre a ética da guerra: Anthony E. Hartle, *Moral Issues in Military Decision Making* (Lawrence: University Press of Kansas, 1989).

guerras futuras, coisas semelhantes ao massacre de My Lai; queriam, como soldados profissionais em qualquer parte do mundo, fazer com que a sua profissão não fosse confundida com uma simples carnificina. E por causa da sua experiência no Vietname acharam que isto tinha de ser feito de forma sistemática; era necessário não só um código como uma teoria. Tempos houve, suponho, em que a honra aristocrática estivera na base do código militar; numa época mais democrática e igualitária, o código tinha de ser defendido com argumentos.

E, assim, argumentámos. Houve discussões e debates acesos e abrangentes apesar de, com o fim da guerra, se terem tornado sobretudo académicos. É fácil esquecer quão vasto é o mundo académico nos Estados Unidos: existem milhões de estudantes e dezenas de milhar de professores. Por isso havia muita gente envolvida, futuros cidadãos e oficiais das forças armadas, e a teoria era sobretudo apresentada — embora também isto fosse controverso — como um manual para a crítica em tempo de guerra. Os casos e exemplos eram retirados do Vietname e formulados de modo a suscitar críticas. Aquela era uma guerra que nunca devíamos ter feito e em que combatemos mal, brutalmente, como se não existissem limites morais. Retrospectivamente, deu-nos a oportunidade de definir uma linha de demarcação — e de nos dedicarmos à casuística moral necessária para determinar a localização precisa dessa linha. Desde que foi brilhantemente denunciada por Pascal, a casuística tem tido má fama entre os filósofos da moral; é normalmente considerada como demasiado permissiva, não tanto uma aplicação como um relaxamento das normas morais. Contudo, quando analisávamos retrospectivamente os casos vietnamitas, a nossa tendência era mais negar autorização do que concedê-la, insistindo repetidamente que aquilo que tinha sido feito não devia ter sido feito.

Mas havia outra característica do Vietname que conferia uma força especial à crítica moral da guerra: foi uma guerra que perdemos, e a brutalidade com que lutámos contribuiu quase certamente para a nossa derrota. Numa guerra por "corações e mentes" mais do que por territórios e recursos, a justiça revela-se uma chave para a vitória. Por isso, a teoria da guerra justa voltava a parecer-se com a doutrina secular que, de facto, é. E é nisto, penso eu, que reside a causa mais profunda do triunfo contemporâneo da teoria: existem agora razões de estado para combater com justiça. Quase se podia dizer que a justiça se tornou uma necessidade militar.

Houve provavelmente outras guerras, noutros tempos, em que a matança deliberada de civis e também a banal indiferença militar face à morte de civis mostraram ser contraproducentes. A guerra dos Boers é disso um exemplo possível. Mas, para nós, o Vietname é a primeira guerra em que o valor prático do *jus in bello* é visível. É certo que geralmente se considera a "síndrome do Vietname" como sendo o reflexo de uma lição diferente: não devemos fazer guerras que o país considera impopulares e nas quais não queremos empenhar os recursos necessários à vitória. Mas houve, na realidade, uma outra lição, ligada à "síndrome" e que não é a mesma: não devemos fazer guerras sobre cuja justiça temos dúvidas, e quando estamos em guerra temos de lutar com justiça para não antagonizar as populações civis cujo apoio político é necessário à vitória. No Vietname, os civis que importavam eram os próprios vietnamitas; perdemos a guerra quando perdemos "os seus corações e as suas mentes". Esta ideia da necessidade do apoio dos civis acabou por se tornar variável e por se alargar: a guerra moderna exige o apoio de diferentes populações civis, que constituem um leque mais alargado do que o da população em risco imediato. Seja como for, a consideração moral dos civis em perigo é crucial para angariar um largo apoio à guerra… a qualquer guerra moderna. Chamo a isto a utilidade da moralidade. O seu reconhecimento global é algo de radicalmente novo na história militar.

Daí, o estranho espectáculo de George Bush (pai), durante a Guerra do Golfo, a falar como um teórico da guerra justa.[7] Bem,

---

[7] Ver os documentos coligidos em *The Gulf War: History, Documents, Opinions*, ed. Micah L. Sifry e Christopher Cerf (Nova Iorque: Times Books, 1991) 197-352, entre os quais os discursos de Bush e um vasto leque de outros artigos de opinião.

não exactamente assim: pois os discursos e as conferências de imprensa de Bush manifestam uma velha tendência americana, que o filho herdou, para confundir guerras e cruzadas, como se uma guerra só pudesse ser justa quando as forças do bem se levantam contra as forças do mal. Mas Bush parece que também compreendeu — e este foi um tema constante dos porta-vozes militares americanos — que a guerra era exactamente um combate de exércitos, um combate entre combatentes, de que a população civil tinha de ser protegida. Não acredito que o bombardeamento do Iraque, em 1991, tenha obedecido aos padrões da guerra justa; proteger os civis implicava certamente não destruir as redes de fornecimento de energia ou as instalações de tratamento da água. A infra-estrutura urbana, mesmo que seja necessária à guerra moderna, é também necessária à existência dos civis numa cidade moderna, e é esta segunda característica que a define moralmente.[8] Contudo, a estratégia americana no Golfo foi o resultado de um compromisso entre aquilo que a justiça exigiria e os bombardeamentos desenfreados de guerras anteriores; globalmente falando, os alvos foram muito mais limitados e selectivos do que tinham sido, por exemplo, na Coreia ou no Vietname. As razões desta limitação eram complicadas: em parte, reflectiam um compromisso assumido com o povo iraquiano (que acabou por não ser muito forte), na esperança de que os iraquianos repudiassem a guerra e derrubassem o regime que lhe tinha dado início; em parte, reflectiam as necessidades políticas de uma coligação que tornara a guerra possível. A cobertura jornalística da guerra dava, por seu turno, forma a essas necessidades — quer dizer, através do acesso imediato dos meios de comunicação às batalhas e das pessoas do mundo inteiro aos meios de comunicação. Bush e os seus generais acreditavam que essas pessoas não tolerariam o massacre de civis e, provavelmente, tinham razão (mas o que para eles significava não tolerar alguma coisa era, e é, muito pouco claro). Assim, embora muitos dos países

---

[8] Pronunciei-me contra os ataques às infra-estruturas imediatamente depois da guerra (mas houve quem se pronunciasse mais cedo), em *But Was It Just? Reflections on the Morality of the Persian Gulf War,* ed. David E. DeCosse (Nova Iorque: Doubleday, 1992), 12-13.

cujo apoio era crucial para o sucesso da guerra não fossem demo-cracias, a política dos bombardeamentos foi largamente ditada pelo *demos*.

Isto continuará a ser verdade: os meios de comunicação são omnipresentes e o mundo inteiro está atento. A guerra, nestas cir-cunstâncias, tem de ser diferente. Mas significará isto que tem de ser mais justa, ou que tem apenas de parecer mais justa, que tem de ser descrita, de um modo um pouco mais convincente do que no passa-do, com a linguagem da justiça? O triunfo da teoria da guerra justa é suficientemente claro; é surpreendente a prontidão com que os porta-vozes militares, durante as guerras do Kosovo e do Afeganis-tão, recorreram às suas categorias, contando uma história causal que justificava a guerra e fornecendo relatos de batalhas que acentuavam a contenção com que estas eram travadas. Os argumentos (e racio-nalizações) do passado eram muito diferentes; eram normalmente exteriores às forças armadas — provinham de religiosos, advogados e professores, não de generais — e desprovidos de especificidade e pormenorização. Mas que significa a utilização dessas categorias, dessas palavras justas e morais?

Ingenuamente, talvez, sou levado a dizer que a justiça se tor-nou, em todos os países ocidentais, um dos testes pelo qual qual-quer estratégia ou táctica militar tem de passar — um dos testes apenas, e não o mais importante, mas que, apesar disso, põe a teo-ria da guerra justa num lugar e numa posição que nunca antes tinha tido. É agora mais fácil do que alguma vez foi imaginar um general a dizer: "Não, não podemos fazer isso. Causaria demasia-das mortes civis; temos de descobrir outra maneira." Não tenho a certeza de que haja muitos generais a falar desta forma mas imagi-nem, por instantes, que eles existem; imaginem que as estratégias são avaliadas tanto do ponto de vista moral como militar; que as mortes de civis são reduzidas ao mínimo; que são concebidas novas tecnologias a fim de evitar ou limitar os danos colaterais, e que essas tecnologias são realmente eficazes e cumprem os objec-tivos visados. A teoria moral foi incorporada na arte da guerra como uma coerção moral em relação a quando e a como a guerra é travada. Não se esqueçam de que este quadro é imaginário, mas em parte também verdadeiro; e constitui um argumento muito mais interessante do que a alegação habitual: que o triunfo da guerra justa é pura hipocrisia. O triunfo é real: que resta então aos teóricos e aos filósofos?

Esta questão está tão suficientemente presente na nossa consciência que encontramos gente que está a tentar responder-lhe. Há duas respostas que eu gostaria de descrever e criticar. A primeira vem daquilo a que poderíamos chamar a esquerda pós-moderna, a qual não afirma que as declarações de justiça são hipócritas — já que a hipocrisia implica normas — mas defende que não existem normas nem nenhuma utilização objectiva possível das categorias da teoria da guerra justa.[9] Os políticos e os generais que adoptam as categorias estão a enganar-se a si próprios — embora não mais do que os teóricos que elaboraram tais categorias. Talvez as novas tecnologias matem menos gente, mas é inútil argumentar sobre quem são essas pessoas e se matá-las ou não se justifica. Não há acordo possível quando se trata de justiça, nem quando se trata de culpa ou inocência. Esta opinião pode ser resumida numa frase que apela à nossa situação imediata: "Aquele que, para um homem, é um terrorista é, para outro homem, um combatente pela liberdade." Nesta perspectiva, pouco podem fazer os teóricos e os filósofos para além de tomar partido, e não existe qualquer teoria ou princípio que possa orientar a sua opção. Mas esta é uma posição impossível, pois defende que não se pode reconhecer nem condenar o assassínio de inocentes, nem opor-se-lhe de forma activa.

Uma segunda resposta é assumir com toda a seriedade a necessidade moral de reconhecimento, condenação e oposição, e levantar depois a *ante* teórica — ou seja, reforçar as restrições que a justiça impõe à guerra. Para os teóricos que se gabam de viver,

---

[9] O artigo de opinião de Stanley Fish, em *The New York Times* (15 de Outubro de 2001), dá-nos um exemplo da argumentação pós-modernista na sua versão mais inteligente.

por assim dizer, no domínio das vantagens fundamentais, esta é uma resposta óbvia e compreensível. Durante muitos anos utilizámos a teoria da guerra justa para criticar as acções militares americanas, e agora essa teoria foi recuperada pelos generais e é invocada para explicar e justificar essas acções. É evidente que temos de resistir. A maneira mais simples de resistir é transformar a imunidade do não-combatente numa regra cada vez mais forte até que se torne algo que se assemelhe a uma norma absoluta: qualquer morte de civis é (algo próximo de) assassínio; portanto, qualquer guerra que leve à morte de civis é injusta; portanto, qualquer guerra é injusta. Desta forma, o pacifismo renasce do próprio coração da teoria que, na sua origem, visava substituí-lo. É esta a estratégia que foi adoptada muito recentemente por muitos opositores à guerra do Afeganistão. As marchas de protesto nas universidades americanas ostentavam cartazes que proclamavam "Parem os Bombardeamentos!" e o argumento contra esses bombardeamentos era muito simples e obviamente verdadeiro: as bombas põem os civis em perigo e matam-nos. Os manifestantes achavam que não era preciso dizer mais nada.

Como acredito que a guerra ainda é, por vezes, necessária, este parece-me ser um mau argumento e, de forma mais geral, uma má resposta ao triunfo da teoria da guerra justa. Defende o papel crítico da teoria face à guerra em geral, mas nega à teoria o papel crítico que ela sempre reclamou, que é intrínseco à questão da guerra e que exige dos críticos que se debrucem atentamente sobre aquilo que os soldados tentam fazer e sobre aquilo que tentam não fazer. A recusa em estabelecer estes tipos de diferenciação, de prestar atenção a escolhas estratégicas e tácticas, sugere uma doutrina de desconfiança radical. Este é o radicalismo de pessoas que, em nenhuma circunstância, esperam exercer o poder ou usar da força, e que não estão preparadas para ajuizar daquilo que este exercício e este uso exigem. Em contraste, a teoria da guerra justa, mesmo quando requer uma crítica veemente a determinados actos de guerra, é a doutrina de pessoas que esperam, de facto, exercer o poder e usar da força. Podemos pensar que se trata de uma doutrina da responsabilidade radical pois considera que os políticos e os chefes militares são responsáveis, em primeiro lugar, pelo bem-estar do seu povo, mas também pelo bem-estar de homens e mulheres inocentes do outro campo. Os defensores desta teoria erguem-se contra aqueles que não pensam de forma realista na defesa do país em que vivem, e também contra aqueles que se recusam a reconhecer a humanidade dos adversários. Insistem em que há coisas moralmente inadmissíveis, mesmo contra o inimigo. Insistem também, todavia, que a luta, em si mesma, não pode ser moralmente inadmissível. Uma guerra justa deve ser, e tem de ser, uma guerra que é possível fazer.

Mas há um outro perigo decorrente do triunfo da teoria da guerra justa — não o relativismo radical e o quase absolutismo que acabei de descrever, mas antes um certo esmorecimento do espírito crítico, uma trégua entre teóricos e soldados. Se, muitas vezes, os intelectuais ficam mudos e quedos perante os líderes políticos que os convidam para jantar, quanto mais não o ficarão perante generais que falam a mesma linguagem? E se os generais estiverem, de facto, a travar guerras justas, se *inter arma* a lei puder exprimir-se, de que adianta aquilo que poderemos dizer? Na realidade, porém, o nosso papel não mudou assim tanto. Temos de continuar a insistir no facto de que a guerra é uma actividade moralmente dúbia e difícil. Mesmo que nós (no Ocidente) tenhamos travado guerras justas no Golfo, no Kosovo e no Afeganistão, isso não é garantia nem indicação fiável de que a nossa próxima guerra seja justa. E mesmo que o reconhecimento da imunidade do não combatente se tenha tornado militarmente necessário, esta imunidade continua a estar em conflito com outras e mais prementes necessidades. A justiça continua a ter de ser defendida; as decisões sobre quando e como lutar exigem uma análise constante, exactamente como sempre aconteceu.

Ao mesmo tempo, temos de alargar a nossa análise do "quando e como" de forma a abranger as novas estratégias, as novas tecnologias e as novas políticas de uma era global. As velhas ideias talvez não se adeqúem à realidade emergente: a "guerra contra o terrorismo", para recorrer ao mais actual dos exemplos, exige uma espécie de cooperação internacional que, basicamente, está tão pouco desenvolvida na teoria como na prática. Devíamos integrar os oficiais militares na argumentação teórica; estes poderiam transformá-la nùma argumentação melhor do que seria se apenas os académicos se interessassem por ela. Mas não podemos deixar unicamente nas mãos deles esta argumentação. Como diz o velho ditado, a guerra é demasiado importante para ser confiada aos generais; mais ainda quando se trata de uma guerra justa. A actual crítica da guerra é uma actividade democrática de importância crucial.

Permitam-me, pois, sugerir duas questões que foram levantadas pelas nossas guerras mais recentes, e que exigem ser vistas sob a luz positiva da justiça.

Para começar, a guerra isenta de riscos. Ouvi dizer que esta era uma característica necessária das intervenções humanitárias, como no caso da guerra do Kosovo: os soldados que defendem a humanidade — em contraste com os soldados que defendem o seu próprio país e os seus compatriotas — não arriscam a vida; ou então os seus dirigentes políticos não se atrevem a pedir-lhes que arrisquem as suas vidas. Daí que o salvamento de pessoas que estão em perigo terrível, que são vítimas de massacre ou de limpeza étnica, só é possível se a guerra isenta de riscos for possível.[10] O que é obviamente possível: as guerras podem ser travadas a grandes distâncias, com bombas e mísseis apontados com grande precisão (em comparação com a enorme imprecisão dessas armas apenas há umas décadas) às forças que levam a cabo massacres e deportações. E os técnicos-soldados que manuseiam essas armas são, em todos os casos recentes, invulneráveis aos contra-ataques. Não há qualquer princípio na teoria da guerra justa que impeça este modo de fazer a guerra. Desde que saibam apontar com precisão

---

[10] Este argumento foi utilizado por vários participantes numa conferência sobre intervenção humanitária, realizada no Zentrum für Interdisziplinare Forschung, Universidade de Bielefeld, Alemanha, em Janeiro de 2002.

para alvos militares, os soldados têm todo o direito de lutar *a partir* de uma distância segura. E que comandante dedicado aos seus homens não optaria por lutar deste modo sempre que tal lhe fosse possível? Nas suas reflexões sobre a rebelião, Albert Camus defende que não se pode matar a menos que se esteja preparado para morrer.[11] Mas esse argumento não parece aplicar-se aos soldados na batalha, em que o que está em jogo é matar evitando ser--se morto. E, contudo, num sentido mais lato, Camus tem razão.

Os teóricos da guerra justa, tanto quanto sei, não discutiram esta questão, mas é óbvio que temos de o fazer [ver o ensaio sobre o Kosovo (capítulo 7) para uma breve discussão]. Os massacres e a limpeza étnica têm normalmente lugar em terra. O trabalho horrendo pode ser levado a cabo com bombas e gás tóxico lançados do ar, mas na Bósnia, no Kosovo, no Ruanda, em Timor-Leste e na Serra Leoa as armas foram espingardas, machetes e paus; a população foi aterrorizada e morta à queima-roupa. E é provável que uma intervenção isenta de riscos realizada à distância — nomeadamente quando promete ser eficaz a prazo — cause no imediato uma escalada no terreno. Esta só poderá ser detida se a intervenção se deslocar para o terreno, deslocação essa que parece ser um imperativo moral. O objectivo da intervenção é, ao fim e ao cabo, salvar pessoas em perigo, e a luta no terreno, no caso que descrevi, é aquilo que esse salvamento exige. Mas, aí, as coisas deixam de ser isentas de riscos. Porque é que alguém, então, se decidiria a empreender esta acção?

De facto, riscos deste tipo são uma característica comum da *jus in bello*, e se é verdade que há muitos soldados que se recusam a aceitá-los, também há muitos exemplos de aceitação. O princípio é o seguinte: quando é a nossa própria acção que põe em perigo pessoas inocentes, mesmo que a acção se justifique, temos obrigação de reduzir esses riscos ainda que isso envolva riscos para os

---

[11] "Uma vida paga-se com outra vida e destes dois sacrifícios brota a promessa de um valor", Albert Camus, *The Rebel*, trad. Anthony Bower (Nova Iorque: Vintage, 1956), 169. Ver também o argumento no primeiro acto de *The Just Assassins*, em Albert Camus, *Caligula and Three other Plays*, trad. Stuart Gilbert, (Nova Iorque: Vintage, 1958), esp. 246-47.

nossos próprios soldados. Se bombardearmos alvos militares numa guerra justa e se houver civis a viver perto desses alvos, temos de ajustar a nossa política de bombardeamentos — voando a baixa altitude, por exemplo — de forma a minimizar os riscos que impomos ao civis. É claro que é legítimo equilibrar os riscos; não podemos pedir aos nossos pilotos que levantem voo para missões suicidas. Eles têm de estar, como diz Camus, preparados para morrer, mas isso pode ser coadunado com a tomada de medidas para salvaguardar as suas vidas. O modo como esse equilíbrio funciona é algo que tem de ser analisado caso a caso. Mas aquilo que não é permissível, na minha opinião, é o que a NATO fez na guerra do Kosovo, em que os líderes declararam antecipadamente que não enviariam tropas de infantaria para o combate, acontecesse o que acontecesse no Kosovo quando começasse a guerra aérea. A responsabilidade pela intensificação da campanha sérvia contra os civis kosovares — consequência imediata da guerra aérea — pertence sem dúvida ao governo e ao exército da Sérvia. É a eles que se tem de apontar o dedo. Mas, ao mesmo tempo, este era um resultado previsível da nossa acção, portanto, na medida em que nada fizemos para prevenir este resultado ou para lidar com ele, também somos merecedores de censura. Impusemos riscos a outrem e recusámo-nos a aceitá-los para nós próprios, até mesmo quando essa aceitação era necessária para ajudar os outros.[12]

A segunda questão tem a ver com o desfecho da guerra. Na óptica vigente, uma guerra justa (precisamente porque não é uma cruzada) devia terminar quando fosse restaurado o *status quo ante*. O caso paradigmático é uma guerra de agressão que termina, justamente, quando o agressor é derrotado, o ataque rechaçado e as velhas fronteiras restabelecidas. Talvez isto não chegue para uma conclusão justa: o estado vítima pode merecer ser indemnizado pelo estado agressor, para que os danos causados pelo agressor

---

[12] Relativamente aos argumentos a favor da utilização de forças terrestres no Kosovo, ver William Joseph Buckley, ed., *Kosovo: Contending Voices on Balkan Interventions* (Grand Rapids, Mich.: William B. Eerdmans, 2000) 293-94, 333-35, 342.

possam ser reparados — o que, sendo uma leitura mais abrangente do termo reparação, nem por isso deixa de o ser. E talvez o tratado de paz deva incluir novas disposições de segurança, de um tipo que não existia antes da guerra, para que o *status quo* seja mais estável de futuro. Mas isto é o que diz respeito aos direitos da vítima; a teoria, na sua interpretação usual, não abrangia qualquer reconstituição radical do estado do inimigo, e a lei internacional, com os seus princípios sobre soberania, consideraria qualquer alteração de regime que lhe fosse imposta como um novo acto de agressão. O que aconteceu depois da Segunda Grande Guerra na Alemanha e no Japão foi algo de completamente novo na história da guerra e, ainda hoje, a legitimidade da ocupação e da reconstituição política é discutida, mesmo pelos teóricos e advogados que consideram que o tratamento dado ao regime nazi foi, no mínimo, justificado. Assim, quando a guerra do Golfo terminou, em 1991, ninguém se apressou a marchar para Bagdad para substituir o regime de Saddam Hussein, apesar desse governo ter sido denunciado, na escalada de motivos que levaram à guerra, como sendo de tipo nazi. Havia, é claro, argumentos tanto militares como políticos contra a continuação da guerra, uma vez que o ataque ao Koweit tinha sido repelido, mas havia também um argumento que tinha a ver com justiça: mesmo que o Iraque "precisasse" de um novo governo, essa necessidade só podia ser satisfeita pelo próprio povo iraquiano. Um governo imposto por exércitos estrangeiros nunca poderia ser aceite como produto ou agente futuro da auto-determinação.[13]

Os exemplos da Segunda Grande Guerra, porém, militam contra esta última asserção. Se o governo imposto for democrático e se avançar rapidamente para a abertura da arena política e a realização de eleições, então poderá apagar-se a memória de ter sido imposto (daqui a diferença entre os regimes ocidental e oriental na Alemanha do pós-guerra). De qualquer forma, a intervenção humanitária

---

[13] A declaração de Bush sobre a interrupção do avanço americano e a sua proclamação e vitória encontram-se em *The Gulf War: History, Documents, Opinions*, 449-51; os argumentos a favor e contra o fim da guerra encontram-se em *But Was it Just?* 13-14, 29-32.

altera radicalmente os argumentos sobre o final da guerra, pois agora a guerra é, desde o início, um esforço para alterar o regime responsável pela desumanidade. Isto pode ser levado a cabo mediante um apoio à secessão, como os indianos fizeram no que é actualmente o Bangladesh; ou expulsando um ditador, como fizeram os tanzanianos no Uganda a Idi Amin; ou através da criação de um novo governo, como os vietnamitas fizeram no Camboja. Em Timor-Leste, mais recentemente, a ONU organizou um referendo sobre a secessão, e depois apoiou a instalação de um novo governo. Se tivesse havido, como deveria ter sido o caso, uma intervenção no Ruanda, ela visaria certamente substituir o regime hutu. A justiça exigiria tal substituição. Mas que tipo de justiça é esta? Quem são os seus agentes e por que normas se regem as suas acções?

Como sugere o exemplo do Ruanda, a maioria dos estados não quer assumir esta responsabilidade e, quando o fazem por qualquer razão política, não aceitam submeter-se a uma série de regras morais. No Camboja, os vietnamitas encerraram os campos de morte, o que foi certamente bom, mas, em seguida, instalaram um governo satélite, ligado aos interesses vietnamitas, que nunca conseguiu alcançar legitimidade dentro ou fora do Camboja e que não foi capaz de terminar com os conflitos internos do país. Legitimidade e término são os dois critérios que nos permitem avaliar o final das guerras. Ambos exigirão provavelmente, em quase todos os casos de intervenção humanitária, algo mais do que a restauração do *status quo ante* — que, ao fim e ao cabo, foi o que deu origem à crise que levou à intervenção. Todavia, estes critérios são difíceis de cumprir. Os problemas têm a ver, em parte, com interesses estratégicos, como no caso Vietname/Camboja. Mas os interesses materiais também desempenham um papel importante: refazer um governo é uma actividade dispendiosa; exige um investimento de recursos significativo — e os benefícios são largamente especulativos e imateriais. Todavia, é sempre possível sublinhar a utilidade da moral em casos como estes. Uma vasta intervenção, coroada de sucesso, traz benefícios importantes: não só gratidão e amizade, mas também um aumento da paz e da estabilidade num mundo em que a insuficiência de ambas custa muito caro — e não só às vítimas imediatas. Em todo o caso, qualquer país terá sempre boas razões para se recusar a arcar com os custos de tais benefícios; ou assumirá os encargos, e então encontrará razões para ter um mau desempenho. Por isso continuamos a precisar da justiça e das suas vantagens fundamentais.

O argumento sobre o final da guerra é semelhante ao argumento sobre o risco: quando agimos de uma forma que tem consequências fortemente negativas para outras pessoas (mesmo quando também tem consequências positivas) não podemos ir, pura e simplesmente, embora. Imagine-se uma intervenção humanitária que termina, depois de ter acabado com os massacres e derrubado o regime assassino; mas o país ficou devastado, a economia em ruínas, o povo esfaimado e apavorado; não existe lei nem ordem, nem qualquer autoridade eficaz. As forças que intervieram fizeram-no de forma correcta mas ainda não terminaram. Que significa isto? Será que, por se agir correctamente, se fica com a responsabilidade de voltar a agir correctamente... *ad infinitum*? O trabalho dos virtuosos nunca acaba. O que não parece justo. Mas no mundo real, tanto no da política internacional como no da moralidade normal, é assim que as coisas funcionam (embora, evidentemente, a virtude nunca seja uma coisa tão simples). Veja-se a guerra afegano-russa: o governo americano interveio em força, combatendo por procuração, e acabou por conseguir uma grande vitória: os russos viram-se obrigados a retirar. Foi a última batalha da Guerra Fria. A intervenção americana foi obviamente motivada por interesses geopolíticos e estratégicos; a convicção de que os afegãos lutavam numa guerra de libertação nacional contra um regime repressivo pode ter desempenhado um certo papel nas motivações das pessoas que levaram a cabo esta intervenção, mas os aliados que encontraram no Afeganistão tinham de libertação uma ideia muito restrita.[14] Quando a

---

[14] Artiom Borovik, em *The Hidden War: A Russian Journalist's Account of the Soviet War in Afghanistan* (Londres: Faber and Faber, 1990), faz um relato útil, embora altamente pessoal, da Guerra Russa no Afeganistão; para uma história académica ver Larry P. Goodson, *Afghanistan's Endless War: State Failure, Regional Politics and the Rise of the Taliban* (Seattle: University of Washington Press, 2001)

guerra acabou, o Afeganistão ficou num estado de anarquia e ruína. Nessa altura, os americanos partiram, o que foi obviamente errado, tanto política como moralmente; os russos retiraram-se e fizeram bem. Nós tínhamos agido (relativamente) bem, apoiando aquilo que era, provavelmente, a vasta maioria do povo afegão e, apesar disso, tínhamos a obrigação de continuar a agir bem; os russos tinham agido mal e viam-se livres de qualquer obrigação; apesar de deverem ajuda material (indemnizações) ao povo afegão, ninguém queria vê-los outra vez metidos na questão afegã. Isto parece estranho; julgo, no entanto, que é uma descrição precisa da distribuição da responsabilidade. Mas há que compreender melhor como é que isto funciona e porque é que funciona assim: uma teoria da justiça-dos-desfechos que se baseia na experiência real das intervenções humanitárias (e outras), a fim de que os países que travam guerras deste tipo saibam quais serão as suas responsabilidades, no caso de vencerem. Também seria útil que existisse, o que não é ainda o caso, uma agência internacional que pudesse estipular e, até, zelar pelo cumprimento dessas responsabilidades.

Esta teoria da justiça-dos-desfechos terá de integrar uma descrição do que são ocupações legítimas, alterações de regime e protectorados — e também, evidentemente, uma descrição de actividades imorais e ilegítimas em todas estas áreas. Esta combinação é aquilo de que sempre tratou a guerra justa: tornar *possíveis* acções e operações que são moralmente problemáticas, restringindo as ocasiões em que podem ocorrer e regulamentando o modo como são conduzidas. Quando as restrições são aceites, as acções e operações são justificadas, e o teórico da guerra justa tem de o dizer, mesmo que tal pareça uma defesa dos poderes instituídos. Quando não são aceites, quando as brutalidades da guerra e do seu rescaldo não são objecto de quaisquer restrições, ele também tem de o dizer, mesmo que lhe chamem traidor e inimigo do povo.

É importante não adoptar rigidamente nem a defesa nem a crítica. Na realidade, a teoria da guerra justa exige que respeitemos o nosso compromisso para com ambas em simultâneo. Neste sentido, a guerra justa é como um bom governo: existe uma tensão, permanente e profunda, entre o adjectivo e o substantivo, mas não existe necessariamente contradição entre eles. Quando os reformadores chegam ao poder e fazem um governo melhor (menos corrupto, por exemplo), temos de ser capazes de reconhecer esse melhoramento. E, quando eles se agarram ao poder durante demasiado tempo e imitam os seus predecessores, temos de estar prontos a criticar esse comportamento. A teoria da guerra justa não serve para desculpar uma guerra em particular, e também não é uma renúncia à própria guerra. Destina-se a servir de base a uma análise constante e a uma crítica imanente. Ainda necessitamos dela, mesmo quando há generais que falam como teóricos, e tenho a certeza de que sempre necessitaremos.

2. Dois tipos de responsabilidade militar (1980)

Ao escrever sobre responsabilidade militar, tentarei evitar toda e qualquer referência às questões da livre vontade, da intencionalidade e da teoria da acção. Em seu lugar abordarei aquilo que considero ser um problema prático complicado na nossa maneira de compreender a responsabilidade militar e no nosso modo de a pormos em prática.

Um dos objectivos de qualquer hierarquia institucional — e, muito particularmente, da cadeia de comando militar ou burocrática — é resolver questões de responsabilidade. Quem é responsável perante quem e em relação a quê? É isso que um organigrama deve mostrar. Logo que um funcionário, ou um soldado, visualiza a sua posição no organigrama ou na cadeia de comando, deverá saber exactamente quem são os superiores e quem os subordinados, e aquilo que uns e outros podem esperar dele.

Analisemos agora a posição hierárquica de um oficial subalterno em tempo de guerra, um operacional responsável pela tomada de decisões tácticas. A sua responsabilidade é dupla e pode ser descrita em termos direccionais. Em primeiro lugar, é responsável *para cima* — perante os seus comandantes militares —; depois, através daquele que, entre estes, tem o posto mais elevado (o comandante em chefe), é responsável perante o povo soberano, de quem é, aliás, "oficial", e a cuja segurança e protecção colectiva se comprometeu. A sua obrigação é ganhar as guerras que trava ou, melhor dizendo, fazer os possíveis para as ganhar, obedecendo às ordens legítimas dos seus superiores imediatos, integrando as suas decisões no plano estratégico mais lato, aceitando tarefas onerosas difíceis mas necessárias, buscando o sucesso colectivo mais do que a glória individual. É responsável por missões não cumpridas ou mal desempenhadas e por todos os erros evitáveis. E é responsável, no sentido ascendente da cadeia, perante todos e cada um dos seus superiores e, em última instância, perante os cidadãos vulgares do seu país que possam vir a sofrer com as suas falhas. Mas existem outras pessoas que sofrerão certamente com os seus fracassos e, felizmente, haverá também com alguma frequência quem beneficiará com os seus sucessos — estou a falar dos soldados sob o seu comando. E, assim, ele também é responsável *para baixo* — perante todos e cada um deles. Os seus soldados são, de certo modo, os instrumentos com os quais tem de trabalhar para conseguir vitórias, mas são também homens e mulheres cujas vidas, por estarem ao seu serviço, estão também ao seu cuidado. É seu dever minimizar os riscos que os seus soldados têm de enfrentar, lutar com cuidado e prudência e evitar malbaratar as suas vidas, isto é: não persistir em batalhas que não podem ser ganhas, não tentar conseguir vitórias cujos custos ultrapassem o seu valor militar, etc. E os seus soldados têm todo o direito de esperar isso dele e de lhe censurar todo o tipo de omissão, evasiva, descuido e negligência, que possa pôr em perigo as suas vidas.

Ora, esses dois conjuntos de responsabilidades, para ambos os lados da cadeia de comando, constituem aquilo a que chamarei as responsabilidades hierárquicas do oficial. Aceito que pode haver tensões entre ambas e que essas tensões se exprimem normalmente no terreno. Têm a ver com o facto de os oficiais lamentarem que os principais instrumentos com que lutam sejam seres humanos, com os quais têm uma ligação moral. Mas não creio que possam existir contradições e conflitos directos entre as responsabilidades *para cima* e *para baixo*. Porque existe apenas uma hierarquia; uma única cadeia de comando; em princípio, pelo menos, uma concepção única de vitória; e, finalmente, uma vontade, nos dois sentidos da cadeia, de conseguir essa vitória. Portanto, não se pode considerar que um comandante que sacrifica os seus soldados, desde que faça todos os possíveis por minimizar a extensão desse sacrifício, esteja a fazer algo que não tem o direito de fazer. Sempre que leio acerca da guerra de trincheiras da Primeira Grande Guerra, é-me difícil não pensar que aqueles oficiais que enviaram tantos soldados para a morte, ataque após ataque, para conseguirem tão fracos resultados, eram, literalmente, loucos. Mas, se assim for, essa loucura repercutia-se a todos os níveis da hierarquia — até ao nível dos dirigentes políticos que, obstinadamente, recusaram todos os compromissos que poderiam ter posto termo à guerra. E, assim, os oficiais hierarquicamente inferiores, pelo menos aqueles que preparavam os ataques com todo o cuidado e coordenavam o cessar-fogo quando se tornava claro que esses ataques haviam falhado, não agiram de forma injusta, enquanto os oficiais que agiram previamente de forma negligente, e posteriormente se recusaram a admitir o fracasso, podem ser condenados por terem violado as suas responsabilidades hierárquicas. E tudo isto é verdade mesmo que a guerra no seu todo, ou a continuação da guerra, não se justificasse, e mesmo que o modo de a fazer fosse uma loucura. Não creio que seja sempre inadmissível que um oficial envie os seus soldados para a luta: é para isso que ele — e eles — existem.

Mas as coisas tornam-se muito diferentes, julgo, quando passamos a considerar as responsabilidades de um oficial pelas mortes de civis devidas aos combates em que está envolvido. Como agente moral, ele também é responsável *para fora* — para com todas as pessoas cujas vidas a sua actividade afecta. Esta é uma responsabilidade que todos temos, dado que todos somos agentes morais, e esta responsabilidade é, pelo menos numa primeira instância, de tipo não hierárquico. Nenhum organigrama pode determinar os nossos deveres ou obrigações para com as outras pessoas em geral. Aquilo que devíamos fazer quando consideramos a nossa responsabilidade *para fora* é determinado pela lei divina ou natural, ou pela concepção dos direitos humanos, ou por um cálculo utilitarista em que têm de ser considerados os interesses de todos, e não só daqueles que se situam nos dois extremos da hierarquia. Seja como for que essa determinação funcione em casos particulares, é evidente que os deveres e obrigações dos agentes morais são perfeitamente capazes de entrar em conflito com as necessidades das organizações que eles servem. Quando se trata de um estado ou de um exército em guerra, o conflito é muitas vezes dramático e doloroso. Os civis, cujas vidas são postas em risco, normalmente não são superiores nem subordinados, não ocupam qualquer lugar na hierarquia. Os danos que lhes são causados podem ser, e são muitas vezes, iníquos e, o que é mais importante, podem ser iníquos mesmo quando infligidos no curso de operações militares realizadas em estrita obediência aos preceitos da responsabilidade hierárquica.

A distinção que estabeleci entre os dois tipos de responsabilidade militar, a hierárquica e a não hierárquica — é, evidentemente, demasiado radical. Houve um esforço prolongado para integrar o segundo tipo no primeiro, ou seja, tornar os soldados responsáveis perante os seus oficiais pelos crimes cometidos contra a população civil, e tornar os oficiais responsáveis perante os seus superiores (e mesmo perante os inimigos) pelos crimes cometidos pelos seus homens. Trata-se de um esforço apreciável, e longe de mim subestimar o seu valor. Mas parece-me justo dizer que não teve grande sucesso. Funciona melhor relativamente àqueles crimes contra civis que são, por assim dizer, supérfluos no que toca ao esforço de guerra global — e, nomeadamente, quando o supérfluo é uma questão de indisciplina. O desejo normal de um comandante de manter o controlo sobre os seus soldados, levá-lo--á a reprimir a indisciplina tanto quanto as suas possibilidades lho permitam e a manter o comportamento dos seus homens num nível muito elevado. Pelo menos assim devia fazer: pois os melhores soldados, os melhores combatentes não saqueiam nem violam. Do mesmo modo, os melhores soldados também não matam voluntariamente os civis. Massacres do tipo de My Lai são, na maioria das vezes, o resultado de medo e de raiva, e nenhuma destas emoções contribui para a máxima eficiência da "máquina de guerra" que, por vezes, os soldados deveriam ser. Tal como os saques e as violações, os massacres são censuráveis, tanto militar como moralmente, pois representam uma perda de controlo e um acto criminoso e, desse modo, em termos hierárquicos, é mais ou menos fácil lidar com eles.

Digo "mais ou menos fácil" porque, até mesmo os danos supérfluos, ocorrem frequentemente num contexto de comando e de obediência: My Lai é novamente um exemplo. O que se exige dos soldados em situações destas é que recusem as ordens — as ordens ilegais ou imorais — dos seus superiores imediatos. Essa recusa não é uma negação da hierarquia militar nem uma rebelião contra essa mesma hierarquia. Deve ver-se sobretudo como um apelo que percorre de forma ascendente a cadeia de comando, que passa por um oficial superior e vai até aos superiores desse oficial superior. Considerando a estrutura da cadeia e os seus objectivos, um apelo destes é problemático e difícil, e causa uma tensão considerável no indivíduo que a ele recorre. No entanto, este indivíduo está ainda a agir no seio das convenções da responsabilidade hierárquica.

Mas, quando a matança de civis pode, plausivelmente, ser relacionada com algum objectivo militar, não parece que estas convenções possam ser objecto de qualquer recurso. Nem no caso de uma matança directa e intencional, como acontece em cercos ou em bombardeamentos dissuasivos, nem no caso de matanças colaterais indesejadas, como acontece com o bombardeamento de alvos militares que dão origem a um número desproporcionado de mortes de civis, existe qualquer responsabilidade efectiva para um ou outro lado da cadeia hierárquica. Não quero dizer que não haja indivíduos responsáveis por essas matanças, digo apenas que não há uma forma hierárquica de os considerar responsáveis ou, pelo menos, não há uma forma hierárquica *efectiva* que permita fazê-lo. Do mesmo modo, também não é possível apontar para um organigrama e explicar a quem se pode atribuir a responsabilidade. Porque, nesses casos, a hierarquia parece funcionar tão bem quanto é desejável. Partamos do princípio de que estamos perante vitórias com custos maravilhosamente baixos para os soldados que as conquistaram. O oficial que os comanda pode olhar para os dois extremos da hierarquia e sentir-se bem com a sua obra.

Devo sublinhar este último aspecto: o oficial pode olhar para os dois extremos da hierarquia e sentir que está a fazer aquilo que deve fazer. Está a tentar vencer com todos os meios à sua disposição, o que é aquilo que os seus superiores querem que ele faça e aquilo que nós, como membros do povo soberano, queremos que ele faça. E está a tentar vencer com o mínimo custo possível no que toca aos seus soldados, o que é certamente aquilo que estes querem que ele faça. Assim, cumpre as exigências morais da sua posição hierárquica. Vale a pena mencionar que foram estas, exactamente, as exigências morais que o Presidente Truman invocou quando aprovou a utilização da bomba atómica em Hiroxima. Tomou esta decisão, conforme nos disse no seu discurso radiofónico, a 9 de Agosto de 1945, com o objectivo de pôr fim à guerra e de salvar vidas americanas. Estes dois objectivos, parecia ele pensar, esgotavam a sua responsabilidade. E não é uma noção implausível, se pensarmos nele unicamente como Chefe do Estado-Maior das Forças Armadas de uma nação e de um exército em guerra.

Podemos dizer, penso eu, que o argumento de Truman contempla, sim, toda a gama das suas responsabilidades hierárquicas, mas não abarca toda a gama das suas responsabilidades morais. Ele podia ter continuado e declarado — embora seja importante dizer que não o fez — que sabia que era responsável, como ser humano e agente moral, por todas as mortes civis causadas pela sua decisão. Podia ainda ter dito que a sua responsabilidade, perante o povo americano na sua totalidade e para com cada soldado americano, se antepunha à sua responsabilidade para com os civis japoneses devido à posição hierárquica que era a sua. E qualquer oficial numa posição hierárquica inferior poderia invocar o mesmo argumento: que o seu juramento e o seu vínculo imediato para com os seus soldados determinam aquilo que deve fazer, haja ou não outras considerações a ter eventualmente em conta.

Ora bem, se este argumento contivesse toda a verdade, então a matança de civis, desde que relacionada com algum objectivo militar, já não estaria em conflito com as responsabilidades hierárquicas, tal como os diferentes tipos de responsabilidades hierárquicas não entrariam em conflito uns com os outros. Os civis estariam subordinados aos objectivos militares, exactamente como os soldados o estão, e estariam também subordinados à segurança e à preservação dos nossos próprios soldados (e o adversário subordinaria os civis exactamente do mesmo modo). Na realidade, os civis seriam incorporados na hierarquia, na posição mais inferior, e seriam reconhecidos no seio do sistema da responsabilidade hierárquica apenas quando fossem inútil e superfluamente atacados. Mas esta incorporação não é mais do que um acto de conquista e tirania. Porque os civis, cujas vidas estão em jogo, são cidadãos de outros países que não têm qualquer posição *nesta* hierarquia. O oficial intermédio em que estou a pensar não é um agente deles; não há lei ou burocracia que o responsabilize perante eles. Nem eles são seus agentes, sujeitos ao seu comando, submetidos aos seus cuidados e protecção. Na realidade, ele só os vê quando olha para fora, quando afasta o olhar das suas responsabilidades hierárquicas. E, no caso de os reconhecer, de considerar os seus interesses e direitos, talvez tenha de se desviar das suas responsabilidades hierárquicas e de reduzir os cuidados e a protecção prestados aos seus próprios soldados — ou seja, pode ter de impor riscos adicionais aos seus soldados em benefício dos civis. Então, num caso desses, o conflito é um conflito real.

E porque o conflito é real, é extremamente importante que exista uma mediação institucional. Mas não conheço nenhuma maneira fácil de definir e, menos ainda, de criar uma forma correcta de mediação. O ideal era que um exército fosse observado e controlado por algo que se assemelhasse a um organismo civil de controlo. Mas, se pensarmos no lugar que esses organismos ocupam junto dos serviços de polícia nalgumas das nossas cidades mais importantes, percebemos de imediato quais os problemas que poderiam surgir no caso de se tratar de um exército. Porque, enquanto o organismo de controlo vê os civis como vítimas potenciais da negligência e da brutalidade da polícia, esses mesmos civis são também, em última análise, os empregadores da polícia.

Elegem a autoridade autárquica que nomeia o chefe da polícia, e assim por diante. Ocupam um lugar na cadeia de comando urbano, talvez um lugar duplo, o topo e o fundo da cadeia. Mas, como acabo de afirmar, os cidadãos de outros países não têm qualquer lugar na cadeia nem nenhum poder sobre os dirigentes políticos que nomeiam os generais do exército. São vítimas potenciais, e não são senão isso, e não conseguimos imaginá-las a serem representadas de forma eficiente por qualquer organismo civil de controlo.

Internacionalmente podem ser representados por um tribunal como o de Nuremberga, depois da Segunda Grande Guerra. Mas uma característica interessante das decisões tomadas em Nuremberga e nos tribunais seus associados é que ninguém foi muito longe na aplicação das responsabilidades não hierárquicas dos soldados. Funcionaram, sobretudo, nas margens do espaço moral que eu quis delinear com aquele termo, condenando individualmente os oficiais pelo assassinato de reféns, de marinheiros perdidos no mar e de prisioneiros de guerra. Mas não condenaram ninguém por ter sitiado ou bombardeado cidades como parte da estratégia de guerra, nem por qualquer outra forma de desprezo pela vida de civis. Em parte, isto deveu-se ao facto de este tipo de luta não ser, longe disso, específico dos alemães. Em parte, foi porque o estatuto legal desses tipos de luta é, no mínimo, duvidoso. Tradicionalmente, nas leis da guerra, as responsabilidades hierárquicas prevaleceram sobre as não-hierárquicas. E as revisões recentes da lei, em Genebra, em 1949 e, novamente, em 1978, não levaram a alterações radicais dessa prevalência.

Devo, pois, concluir que as responsabilidades não-hierárquicas dos oficiais não têm, neste momento, qualquer forma institucional satisfatória. E provavelmente não a terão enquanto não as incluirmos de forma sistemática na nossa visão daquilo que a função militar exige. Pode pensar-se que é mais fácil dar este passo numa época em que tantas guerras são guerras políticas, em que se combate tanto pela lealdade da população civil como pelo controlo de territórios e recursos. Numa época destas é lícito pensar que as responsabilidades *para fora* e *para cima* coincidirão muitas vezes ou, pelo menos, sobrepor-se-ão mais do que em períodos de guerra convencional. E, então, os crimes deliberados, tal como os crimes de indisciplina, poderão ser analisados a nível hierárquico. Mas em todas as épocas, e tanto em guerras convencionais como políticas, deveríamos exigir dos oficiais que tenham em conta o valor das vidas dos civis, e deveríamos recusar-nos a louvar os oficiais que não o fazem, mesmo quando, por esse meio, conseguem grandes vitórias.

"Os soldados" escreveu o General Douglas MacArthur aquando do julgamento de Yamashita, "...têm a seu cargo a protecção dos fracos e dos desarmados. É essa a sua própria essência e razão de ser... [uma] missão sagrada." Suponho, porém, que esta afirmação é algo exagerada. A "razão" pela qual se é soldado é a vitória, e a "razão" da vitória é a protecção do nosso povo, não de outros povos. Mas os outros existem — os cidadãos vulgares do estado inimigo e dos estados neutros — e nós não somos seres superiores que podem reduzir os seus riscos à custa da chacina de outros: alguns soldados não conseguem fazê-lo. As vidas de outrem podem ser ou não uma missão sagrada mas são uma responsabilidade quotidiana sempre que agimos de forma a poder pô-las em perigo. E essa responsabilidade tem que ter um lugar no seio das "razões" da guerra mais específicas e mais facilmente institucionalizadas. Dado que a tensão moral mais imediata e problemática reside no conflito entre as responsabilidades *para fora* e *para baixo*, entre as responsabilidades para com os civis inimigos e para com os nossos próprios soldados, isto significa, em primeiro lugar, que devemos insistir nos riscos que os soldados têm de aceitar e que os seus oficiais têm de exigir. Não posso fazer aqui uma lista minimamente precisa desses riscos. Mas o que é necessário é uma certa sensibilidade — que a cadeia de comando nem sempre suscita ou impõe. Não há dúvida de que tal sensibilidade tornaria a função militar mais difícil do que é; e ela é, indubitavelmente, uma vocação difícil. Mas, tendo em conta o sofrimento que tantas vezes causa, os objectivos da filosofia moral não podem ser os de tornar essa missão mais fácil.

3. Ética de urgência (1988)

O tema deste meu ensaio é a "urgência suprema". A frase é de Winston Churchill e refere-se à crise da sobrevivência britânica durante os dias mais negros da Segunda Grande Guerra.[1] A urgência suprema é um momento de tomada de decisões heróicas, quando nações e dirigentes são avaliados pelas medidas que tomam; mas também é um tempo de desespero, quando as medidas que tomamos são aquelas que gostaríamos de evitar se tal fosse possível. Oxalá o meu país e os meus concidadãos nunca venham a conhecer tempos desses. Seja esta, pois, uma discussão teórica e um exercício pedagógico. Podemos testar as nossas percepções morais quotidianas comparando-as com um caso extremo e podemos perguntar-nos se existem analogias úteis entre extremos históricos ou hipotéticos e aquilo que hoje é tido por normalidade. Sugiro que se aborde este exercício com uma certa precaução. Tal como os casos complicados podem dar origem a uma má lei, também as urgências supremas podem pôr a própria moralidade em risco. É necessário avançar com cautela.

Há mais de uma década, em *Just and Unjust Wars* apresentei um argumento sobre a urgência suprema que me foi suscitado por aquilo que Churchill dizia sobre a crise britânica e pela minha própria memória e reflexão acerca da luta contra o Nazismo.[2] Tomei por modelo os anos de 1940 e 1941, quando a vitória nazi na Europa parecia aterradoramente próxima. Existe uma urgência suprema quando os nossos valores mais profundos e a nossa sobrevivência colectiva se encontram em perigo iminente, e era

---

[1] Winston Churchill, *The Gathering Storm* (Nova Iorque: Bantam Books, 1961), 488.
[2] Michael Walzer, *Just and Unjust Wars* (Nova Iorque: Basic Books, 1977), capítulo 16.

essa a situação nesses anos. Poderão as restrições morais ter algum domínio sobre nós em tempos como aquele? O que podem e o que devem fazer os dirigentes políticos face a um perigo daquela dimensão? A minha resposta a estas perguntas foi filosoficamente provocatória e paradoxal. Defendi, para começar, que as restrições continuavam a dominar-nos; e, em segundo lugar, que os dirigentes políticos podiam fazer o que fosse necessário para combater o perigo. Não existem momentos na história humana que não sejam regidos por normas morais; o mundo humano é um mundo de limitações e os limites morais nunca são suspensos — do modo como poderíamos, por exemplo, suspender o *habeas corpus* numa altura de guerra civil. Mas há momentos em que as regras podem ser, e talvez tenham de ser, postas de lado. E têm de ser postas de lado precisamente porque não foram suspensas. E pôr de lado as normas provoca-nos um sentimento de culpa, uma espécie de reconhecimento da enormidade daquilo que fizemos, e obriga-nos ao compromisso de não fazer destes actos um precedente fácil para o futuro.

O exemplo que tinha em mente, quando abordei isto pela primeira vez, era a decisão britânica de bombardear cidades alemãs — especificamente as ordens dadas às tripulações dos bombardeiros, no início dos anos 40, para alvejarem os centros das cidades e as zonas residenciais (ou seja, não as bases militares, as fábricas, os estaleiros, os armazéns, etc.). A intenção dos dirigentes britânicos, nesta fase de guerra, era matar e aterrar a população civil, atacar mais o moral alemão do que o seu poderio militar. Não vou repetir aqui os argumentos técnicos aduzidos pelo Comando dos Bombardeiros, que tinha mais a ver com as habitações do que com as vidas de civis — como se fosse possível separar os dois alvos —, argumentos esses que não eram inteiramente claros.[3] Para apresentar a questão teórica em toda a sua complexidade, bastará dizer que a intenção era má e os bombardeamentos

---

[3] O próprio Churchill foi perfeitamente claro; ver *The Hinge of Fate* (Nova Iorque: Bantam Books, 1962), 770. O objectivo dos bombardeamentos era "criar condições intoleráveis à massa da população alemã." Esta frase é de um memorando escrito em 1942.

criminosos, e que as suas vítimas eram homens, mulheres e crianças inocentes. Se acontecesse morrerem também soldados ou "trabalhadores das munições" era apenas por acidente; um efeito colateral, moralmente defensável, daquilo que não deixa de ser uma política imoral. Mas, se não houvesse outro meio de impedir o triunfo nazi, então a imoralidade — não menos imoral, pois que outra coisa pode ser a matança deliberada de inocentes? — era também, e simultaneamente, moralmente defensável. É esta a provocação e o paradoxo. Pode-se imaginar o cepticismo com que foi acolhido este relatório sobre a ética da urgência, especialmente nos círculos filosóficos, onde até mesmo a aparência de qualquer contradição interna é considerada (como deve ser) com toda a seriedade.[4] Tentarei, pois, explicar o argumento.

A doutrina da urgência suprema é um modo de manobrar entre duas visões muito diferentes e caracteristicamente opostas da moralidade. A primeira reflecte o absolutismo da teoria dos direitos, segundo a qual nenhum ser humano inocente pode ser atacado de forma intencional. A inocência é o seu escudo e, embora seja apenas um escudo verbal — um escudo de papel, nada que constitua uma defesa contra bombas e balas —, é um escudo impenetrável a qualquer argumento moral. A segunda visão reflecte a flexibilidade radical do utilitarismo, nos termos do qual a inocência não é senão um valor a ponderar num conjunto de vários outros, na busca do maior bem para o maior número de pessoas.[5] Defino a oposição entre estas teorias de uma forma bastante simplista: tanto o utilitarismo como a teoria dos direitos podem ser elaborados de formas complexas, de modo a que a oposição que descrevi fique consideravelmente atenuada. Mas, na minha opinião, nunca é totalmente eliminada. Ambas estas visões têm um efeito sobre nós e ambas nos arrastam em direcções diferentes.

---

[4] Num esforço para fugir às contradições (recorrendo a exemplos da sociedade civil e não à guerra), ver Alan Donagan, *The Theory of Morality* (Chicago: University of Chicago Press, 1977), 184-89.

[5] Ambas estas posições são apresentadas de uma forma quase clássica em "War and Massacre" de Thomas Nagel e em "Utilitarianism and the Rules of War", de R.B. Brandt, publicados conjuntamente em *Philosophy and Public Affairs I*, número 2 (Inverno 1972), 123-65.

Diz-se muitas vezes, em relação à política interna, que devemos deixar que os tribunais se preocupem com os direitos, enquanto os deputados e os presidentes (e, suponho, os cidadãos vulgares quando escolhem deputados e presidentes) se devem debruçar sobre o maior bem.[6] Mas esta divisão de responsabilidades não funciona. Basta-nos considerar de perto o processo deliberatório judicial e o debate legislativo para vermos que ambas as alegações são repetidamente apresentadas e repetidamente reconhecidas no seio daquelas duas instâncias. Seja como for, a análise judicial em política internacional, e sobretudo em tempo de guerra, é muito ténue, e assim as duas alegações recaem, necessariamente, sobre os líderes políticos e militares da nação. De contrário, não haveria a quem recorrer. Qual é a força relativa destes argumentos? Nenhum é suficientemente forte para derrotar o outro; nenhum é tão fraco que possa ser ignorado. Correndo o risco de cair numa grande confusão filosófica, temos de negociar uma posição intermédia.

Porque não optar pelos direitos absolutos? Tenho de começar pelo absolutismo, dado que este representa a negação da própria existência de algo a que se possa chamar "posição intermédia". A moralidade não é negociável. A inocência é inviolável. Podemos discordar, diz o absolutista, sobre quem são as pessoas inocentes e como é que se podem situar sociologicamente mas, quando isso estiver claro, teremos também descoberto os limites da guerra. Proteger o inocente ou, pelo menos, excluí-lo de um ataque deliberado é agir com justiça. E temos de agir com justiça, sejam quais forem as consequências: *fiat justitia, ruat caelum* (faça-se justiça mesmo que os céus desabem). O argumento do absolutista moral é que só reconhecemos o verdadeiro significado da justiça quando ignoramos as consequências de agir com justiça — porque o valor da justiça é, literalmente, incalculável, está para além das possibilidades de cálculos ou medições. Não pode ser comparado com mais nada; não existe contabilista que possa

---

[6] Ver, por exemplo, Ronald Dworkin, *Taking Rights Seriously* (Cambridge, Mass.: Harvard University Press, 1977).

fazer esse balanço moral. Os absolutistas religiosos podem acreditar que Deus tem a sua própria contabilidade; também acreditam, porém, que os seres humanos têm de obedecer aos Mandamentos: "Não matarás", "Não roubarás"...

Este sentimento de que há coisas que nunca podemos fazer, coisas proibidas, tabus, interdições, é um sentimento muito antigo, talvez o mais antigo de todos na nossa visão moral. O utilitarismo das normas, embora consiga indubitavelmente captar algumas das razões dos tabus morais, é incapaz de explicar o seu poder. As proibições de que nos querem convencer os absolutistas morais são, na realidade, as regras vulgares e incontornáveis da vida moral. São restrições externas que há muito foram interiorizadas, por isso conhecemos os crimes que nomeiam não como actos que quereremos mas não devemos cometer, mas sim como actos que não queremos cometer. Mais, não queremos cometê-los (não queremos ser assassinos, por exemplo) e este desejo torna-se cada vez mais forte — e não mais fraco — quando surgem complicações e nos sentimos empurrados a agir de forma errada. Quando sentimos essa pressão, sentimos também, quase todos nós, a necessidade de lhe resistir. Mas será que conseguimos aguentar e continuar a resistir quando o desastre ameaça, quando os céus estão, de facto, prestes a desabar? Num momento desses, o absolutismo representa, quanto a mim, uma recusa em reflectir sobre o que significa os céus desabarem. E a história do século XX torna essa recusa muito difícil de justificar. Como é que nós, com os nossos princípios e proibições, podemos ficar de braços cruzados a assistir à destruição do mundo moral onde esses princípios e proibições têm a sua sede? Como é que nós, que nos opomos aos assassínios, podemos não nos opor aos assassínios em massa, mesmo se essa oposição implicar que, como costuma dizer-se, sujemos as mãos (quer dizer, que nos transformamos nós mesmos em assassinos)?

São questões retóricas, mas digo desde já que nem sempre suscitam a resposta que aparentemente pedem. O absolutismo é, por definição, inquestionável, e é possível que mesmo alguém que, em princípio, estaria disposto a afastar-se de uma posição absolutista, responda com cepticismo. Esse alguém chamará a nossa atenção para a rapidez com que certas pessoas decretam que os céus estão a desabar. Ao primeiro sinal de perturbações, clamarão "urgência suprema!" e exigirão uma derrogação às regras morais. Devemos ter sempre relutância em conceder tais derrogações, pois cada derrogação é também uma concessão feita àqueles que defendem que a justiça tem um preço que, por vezes, pode ser demasiado elevado e que nem sempre precisamos de pagar. E aí está o caminho aberto para o cálculo utilitarista.

Ora bem, o que há então de errado com o utilitarismo? Jeremy Bentham concebeu a sua teoria para os dirigentes políticos e esta, ao que parece, foi coroada de sucesso. Não é verdade que a análise custo/benefício se tornou o metro-padrão do raciocínio moral nas arenas da vida pública? Não é este o cerne pedagógico de muitos cursos universitários sobre a teoria da decisão e opções de política, assim como, suponho, sobre estratégia militar? Damos valor aos tabus morais e respeitamo-los, mas relegamo-los em grande medida para a esfera privada. Esperamos que os nossos dirigentes se orientem por objectivos e avaliamo-los mais pelos objectivos que atingem do que pelas regras que defendem. "Quando o acto acusa, o resultado desculpa."[7] Como podemos evitar, para que quereríamos evitar, o tipo de cálculo que esta máxima exige?

O problema é que é demasiado fácil fazer malabarismos com os números. O utilitarismo, que se queria o mais preciso e obstinado dos argumentos morais, acaba por ser o mais especulativo e arbitrário. Porque temos de atribuir valores onde não há uma avaliação consensual, uma hierarquia de valores reconhecida, um mecanismo de mercado que permita determinar o valor positivo ou negativo de diferentes actos e resultados. Imaginemos que concordamos que a justiça não é, de facto, impossível de medir, de avaliar. Nessa altura, teremos de encontrar uma forma de a

---

[7] Niccolò Machiavelli, *The Prince and the Discourses*, intro. de Max Lerner (Nova Iorque : The Modern Library, 1950), 139.

medir, de determinar, por exemplo, o custo moral do assassínio. Como é que o fazemos? Custará oito ou vinte e três ou setenta e sete? Não temos nenhuma unidade de medida nem temos nenhuma escala comum ou uniforme. Não se trata de dizer, suponho, que cada avaliação seja idiossincrática. Conseguimos, para fins específicos (os seguros são o exemplo mais óbvio), atribuir um preço à vida humana — mas não ao acto de tirar a vida humana; o custo de um assassino profissional não é um preço moralmente aceitável. De qualquer forma, os valores de mercado referentes a vidas-em-risco flutuam por razões moralmente irrelevantes. E, na política e na guerra, a análise custo/benefício sempre foi altamente circunstancial e infinitamente permissiva em relação a cada circunstância. Normalmente, aquilo que calculamos é o *nosso* benefício (que exageramos) e o custo *para eles* (que minimizamos ou desprezamos totalmente). Será plausível esperar que *eles* concordem com os nossos cálculos?

Estes pronomes, na primeira e na terceira pessoa do plural, não têm qualquer efeito sobre os cálculos utilitaristas; todas e quaisquer pessoas são medidas pela mesma bitola; todos os bens são medidos como se houvesse uma escala comum. Mas, na prática, isto é válido apenas para os homens e mulheres cuja solidariedade contrabalança qualquer conflito de interesses que possa existir entre si. Quando a solidariedade se desmorona em situações de adversidade pura ou quase pura — na guerra, por exemplo — os cálculos utilitários são de soma zero, e "nós" normalmente atribuímos apenas valores negativos aos bens "deles". A avaliação negativa é mais clara no que toca aos soldados inimigos quando em combate, mas é provável que se estenda (a menos que seja contrariada por proibições absolutistas) à população no seu todo, começando pelos soldados que não se encontram no teatro de guerra, passando depois aos civis que trabalham nas indústrias relacionadas com a guerra, depois aos civis que apoiam de forma indirecta o esforço de guerra e, finalmente, a todos aqueles que apoiam os apoiantes, os trabalhadores e os soldados. Finalmente, nenhuma vida "inimiga" tem qualquer valor positivo; pode-se atacar quem quer que seja; a própria morte de crianças traz dor e sofrimento aos adultos e, assim, mina a coragem do inimigo. É claro que podemos sempre manipular os números e determo--nos antes de chegarmos a esta horrenda conclusão. Mas é o nosso sentido dos tabus morais que faz com que queiramos parar — e apenas reflectindo sobre o significado da inocência e sobre os direitos do inocente podemos decidir onde, de facto, devemos deter-nos.

Deste modo, as fraquezas do utilitarismo levam-nos de volta à teoria dos direitos e são os direitos que definem as restrições do quotidiano da guerra (e de todos os litígios entre adversários). Mas estas restrições parecem depender de valores fixos mínimos, tal como o utilitarismo depende de um mínimo de solidariedade das pessoas. Quando os nossos valores mais profundos estão radicalmente em risco, as restrições perdem força e um certo tipo de utilitarismo volta a impor-se. Chamo a isto o utilitarismo do extremo e contraponho-o a uma normalidade dos direitos. Em conjunto, ambos captam, parece-me, a força das visões morais opostas e atribuem a cada uma o lugar que lhe compete. Não consigo conciliar as visões; a oposição permanece; é uma característica da nossa realidade moral. Há limites à guerra e há momentos em que podemos e devemos, talvez, forçar esses limites (os limites, em si, nunca desaparecem). A "urgência suprema" descreve esses raros momentos em que o valor negativo que atribuímos — que não podemos deixar de atribuir — ao desastre que se avoluma perante os nossos olhos, desvaloriza a própria moralidade e deixa-nos livres para fazermos aquilo que for militarmente necessário a fim de evitar o desastre, desde que o que fizermos não cause um desastre ainda pior. Não é necessário uma grande precisão em cálculos deste tipo. Tal como um júri que debate a pena capital não procura uma probabilidade de culpa de 51 por cento mas sim uma certeza esmagadora, também nós só podemos ser esmagados pela urgência suprema. E, é claro, temos de ser sempre cépticos face aos dirigentes políticos que são, por assim dizer, demasiado fáceis de esmagar, tal como os jurados têm sempre de ser cépticos relativamente àqueles membros do júri que se apressam a colocar-se "para além de qualquer dúvida razoável."

Mas como podemos ser devidamente cépticos se não compreendermos cabalmente o que é a urgência suprema e em que difere das urgências diárias da vida militar? Abordarei esta pergunta de forma indirecta, fazendo outra pergunta. Se nos é permitido reagir imoralmente quando um desastre nos ameaça, porque é que um soldado, individualmente considerado, não pode responder imoralmente quando um desastre o ameaça? Do ponto de vista do soldado no campo de batalha, a guerra é uma sucessão de urgências supremas: a sua vida está constantemente em risco. Mas sentimos grande relutância em permitir que os soldados se salvem, matando gente inocente e indefesa. Considere-se o caso paradigmático de soldados que estão de guarda a prisioneiros por detrás das linhas inimigas. Não posso repetir aqui todos os argumentos que têm sido utilizados acerca deste exemplo muito debatido e nada hipotético. Há toda uma gama de conclusões e muitos pontos de vista diferentes entre os comentadores, mas quase ninguém dirá que os soldados podem matar os prisioneiros apenas para reduzir o perigo em que esses soldados se encontram.[8] Talvez possam matá-los se isso for, ou parecer ser, absolutamente necessário para o sucesso da sua missão, mas se essa missão foi desempenhada com êxito, espera-se que corram alguns riscos, riscos consideráveis até, pelos prisioneiros que têm à sua guarda. Isto, apesar daquilo que está em perigo ser tudo quanto possuem: a própria vida. No que toca aos indivíduos, a urgência suprema não constitui uma excepção radical à normalidade dos direitos. Na guerra, tal como na sociedade, há limites para o que podemos fazer em auto-defesa, mesmo em situações extremas. Uma pessoa moral aceitará o risco, aceitará inclusivamente a morte, para não matar um inocente. Mas um presidente moral,

---

[8] Mas veja-se Telford Taylor, *Nuremberg and Vietnam: An American Tragedy* (Chicago: Quadrangle Books, 1970), 36.

ou um primeiro-ministro, ou um comandante militar não aceitará o risco nem o facto de uma morte colectiva. Porque não?

A primeira resposta a esta pergunta tem a ver com a teoria da representação. Posso, moral e psicologicamente, aceitar que eu próprio corra riscos mas não posso, nem moral nem psicologicamente, aceitar que outras pessoas os corram. Se eu tiver autoridade política posso impor riscos, mas o meu direito de o fazer é limitado (tanto os direitos como os limites estão implícitos no contrato governamental). Os soldados, por exemplo, são recrutados e depois treinados pelo governo, em nome da comunidade política, para correrem riscos. Mas nenhum governo pode pôr em risco a vida da própria comunidade e de todos os seus membros enquanto tiver à disposição acções, até mesmo acções imorais, que possam evitar ou reduzir esse risco. É em nome dessa capacidade de evitar ou de reduzir riscos que os governos são escolhidos. É para isso que servem os dirigentes políticos; é essa a sua primeira função. Este argumento, porém, defronta-se com uma séria dificuldade. Se os indivíduos não têm o direito de se salvar, matando o inocente, como é que podem mandatar o seu governo para que o faça em lugar deles? Não podem transmitir direitos que não possuem, daí que os seus dirigentes políticos não possam fazer, em nome deles, mais do que eles próprios poderiam fazer. Os dirigentes só podem agir para reduzir ou evitar riscos dentro dos limites da normalidade dos direitos.

O argumento da representação não funciona, a menos que se lhe acrescente o argumento sobre o valor da comunidade.[9] Não são só os indivíduos que são representados mas também a entidade colectiva — religiosa, política ou cultural — composta pelos indivíduos e da qual decorre parte do seu carácter, práticas e

---

[9] Numa análise crítica a *Just and Unjust Wars*, Kenneth Brown escreve que "em toda a sua obra, Walzer identifica as aspirações humanas mais elevadas com a supremacia do estado-nação" (Brown "'Supreme Emergency': A Critic of Michael Walzer's Moral Justification for Allied Obliteration Bombing in World War II" em *Journal of World Peace I*, número 1 [Primavera de 1984]). Não, não defendo a "supremacia" do estado-nação, apenas a sua existência, e apenas na medida em que essa existência serve os objectivos comunitários que descrevo neste ensaio.

crenças. Não quero dizer que o todo é maior do que a soma das partes, porque não sei como somar as partes nem como atribuir um valor ao todo. Ao que parece, é sempre possível encontrar alguns indivíduos que atribuem mais valor ao todo do que à sua própria parte; esses estão prontos a arriscar a vida pelo seu país. Mas isto não significa que essas pessoas (ou os seus dirigentes, que agem em nome delas) tenham o direito de pôr em risco as vidas de outras pessoas que nem sequer vivem naquele país. Esse direito é uma impossibilidade. Os riscos impostos a outros são impostos de forma criminosa. Como é que a comunidade pode permitir ou exigir acções criminosas?

A descrição feita por Edmund Burke de uma comunidade política como um contrato entre "os vivos, os mortos e os ainda não nascidos" ajuda-nos a ver o que está aqui em jogo.[10] A metáfora, suponho, é inadequada, pois é impossível imaginar a ocasião em que um contrato desses pudesse ter sido assinado. Mas, apesar disso, há aqui uma verdade importante: tentamos continuar, e também melhorar, um modo de vida que nos foi legado pelos nossos antepassados e que esperamos que seja continuado e melhorado pelos nossos descendentes. Este compromisso para com a continuidade ao longo de gerações é uma fortíssima característica da vida humana que está incarnada na comunidade. Quando a nossa comunidade é ameaçada, não só na sua extensão territorial presente, ou estrutura governamental, ou prestígio ou honra, mas também naquilo que podemos pensar como sendo a sua *continuidade,* então estamos perante uma perda que é maior do que qualquer outra que possamos imaginar, excepto a da destruição da própria humanidade. Estamos perante uma extinção moral e física, o fim de um modo de vida e de um conjunto particular de vidas, o desaparecimento de gente como nós. E é aí que podemos ser levados a forçar os limites morais que normalmente as pessoas como nós respeitam e consideram.

---

[10] Edmund Burke, *Reflections on the Revolution in France* (Londres: J. M. Dent, 1910), 93.

Por contraste, quando dizemos ao indivíduo-soldado que ele não pode dar o mesmo passo, estamos a dizer-lhe que tem de correr um risco de morte e, até, de morrer dentro dos limites da moral, para que os seus filhos e os filhos dos seus filhos possam esperar viver dentro desses mesmos limites. Não será grande conforto para um soldado que enfrenta a morte saber que gente como ele sobreviverá e continuará a defender os mesmos princípios e práticas a que ele dá valor (incluindo a defesa normal de direitos, porque se não desse valor a esta defesa nada faria sentido). Mas esse conhecimento é conforto suficiente para impedir qualquer exigência que ele pudesse fazer para se isentar dos interditos morais. Suprima-se esse conhecimento e a exigência começa a ser plausível; e só então entramos no mundo terrível da urgência suprema.

Se a comunidade política não fosse mais do que um enquadramento neutro, no interior do qual os indivíduos levariam as suas próprias versões de uma boa vida, como sugerem alguns filósofos políticos liberais, a doutrina da urgência suprema não teria base sustentável.[11] Seria, de facto, prejudicial para os indivíduos perderem a protecção de um enquadramento desse tipo, e esses indivíduos poderão eventualmente ser convencidos a aceitar correr algum risco de vida a fim de prevenirem essa perda — embora esta seja uma questão difícil, que foi abordada pela primeira vez por Thomas Hobbes, o primeiro teórico do enquadramento neutro: saber por que haveria alguém de morrer por uma "comunidade" cujo significado substantivo só esse mesmo alguém pode dar, e isto apenas enquanto for vivo.[12] De qualquer modo, não é concebível que esse tipo de pessoa, face a esse tipo de perda, possa arrastar outros homens e mulheres (e crianças) para a zona da guerra, da qual o mais provável é tentar fugir logo que possa. A concessão da urgência suprema só pode ser requerida por

---

[11] Sobre o estado neutro, ver Ronald Dworkin, "Liberalism", em *Public and Private Morality*, ed. Stuart Hampshire (Cambridge: Cambridge University Press, 1978).

[12] Ver a discussão de Hobbes sobre o serviço militar em *Leviathan*, parte 2, capítulo 21, e o meu próprio comentário "The Obligation to Die for the State", em *Obligations* (Cambridge, Mass.: Harvard University Press, 1970).

dirigentes políticos de um povo que já arriscou tudo e que sabe quanto tem em perigo.

O facto de uma teoria política "comunitária" ajudar a explicar o significado da urgência suprema pode bem ser considerado um argumento contra o comunitarismo. Porque, se não déssemos valor à comunidade (seja qual for o modo como se entende comunidade: povo, nação, país, religião, cultura comum) com tamanha veemência, talvez tivéssemos menos guerras e menos urgências. Menos urgências e nenhuma delas suprema porque, numa sociedade internacional, composta por países que não fossem mais do que enquadramentos neutros, ou numa sociedade internacional que fosse, em si mesma, um grande enquadramento neutro, os indivíduos que lutassem pelos seus próprios projectos poderiam encontrar muitas oportunidades de conflito e até de disputas mas poucas de guerra — teriam todas as razões do mundo para parar antes de caírem no tipo de riscos que uma guerra implica. Mas isto serve apenas para dizer que a vida seria mais segura sem complicações emocionais. Esta afirmação é obviamente verdadeira, mas não é de grande ajuda.

A urgência suprema é uma doutrina comunitária. Mas dizer isto não é minimizar o significado moral do indivíduo. As comunidades necessitam de cidadãos, soldados e dirigentes políticos e militares de forte craveira moral, embora nem sempre os encontrem. E uma forte craveira *moral* é, de facto, algo de muito forte, porque o que a comunidade exige dos indivíduos, cidadãos e soldados, é que arrisquem as suas vidas, primeiro pelos seus compatriotas, e depois pelos membros inocentes de outros países. E aquilo que a comunidade exige dos seus dirigentes é que imponham riscos e que, por vezes, em momentos raros e terríveis, assumam a culpa de matar o inocente. Podemos ter dúvidas de que seja exigível força moral nesta última circunstância; a verdade é que muitos, talvez a maioria, dos dirigentes políticos que figuram nos livros de história ou nas nossas próprias memórias da história do século XX, parecem não ter tido qualquer problema em matar gente inocente. Não possuíam qualquer sentimento de culpa; eram, pura e simplesmente, criminosos. Um dirigente com uma forte craveira moral é alguém que compreende porque é errado matar o inocente e se recusa a fazê-lo, recusa uma e outra vez, até que os céus estejam prestes a desabar. E nessa altura transforma-se num criminoso moral (como o "assassino justo" de Albert Camus)[13] que sabe que não pode fazer o que tem de fazer — e que, finalmente, o faz.

Mais uma vez, provocação e paradoxo. Não se trata, porém, de um argumento idiossincrático; não o inventei. Adapta-se à ética profissional do soldado, tal como esta se foi desenvolvendo ao longo dos tempos, e também à ética profissional da polícia, dos bombeiros e dos marinheiros da marinha mercante, todos aqueles a quem se exige que arrisquem as suas vidas para proteger o inocente. E adapta-se também à doutrina das "mãos sujas", segundo a qual os dirigentes políticos e militares podem por vezes encontrar-se em situações em que não podem evitar agir de forma imoral, mesmo quando isso significa matar, deliberadamente, o inocente.[14] O efeito do argumento da urgência suprema deveria levar a um reforço da ética profissional e a apontar as situações em que é permissível (ou necessário) sujar as mãos. O argumento é, no essencial, de carácter negativo, como os argumentos têm de ser, na minha opinião, quando se centram sobre casos extremos, pois sujar as mãos só é permissível (ou necessário) quando o que está em jogo é, no mínimo, a continuidade da comunidade, ou quando o perigo que temos de encarar é nada menos do que a morte da comunidade. Na maioria das guerras, esta questão nunca surge, não existem urgências supremas; a defesa normal dos direitos prevalece, inquestionavelmente, mesmo no momento da derrota. Numa guerra por este ou aquele pedaço de território, por exemplo, não nos pedem que calculemos quantas vidas inocentes habitam o território. Se considerarmos uma estratégia que envolva assassínio deliberado (deixo de lado as questões sobre os

---

[13] Camus, *The Just Assassins*, em *Caligula and Three other Plays,* trad. Stuart Gilbert (Nova Iorque: Vintage, 1958).

[14] Ver "Political Action: The Problem of Dirty Hands" (da minha autoria) em *Philosophy and Public Affairs 2*, número 2 (Inverno 1973), 160-80.

efeitos colaterais de acções militares legítimas), o território tem de ser considerado como algo desprovido de valor e a inocência, tal como advoga a defesa normal dos direitos, como algo que não tem preço.

Mesmo nas guerras em que aquilo que está em jogo é de grande importância, talvez esta importância não seja sempre a mesma no decorrer da guerra, para que o argumento da urgência suprema tenha de ser invocado. Cada momento é um momento de per si, a avaliação tem de ser contínua e não uma única para cada guerra. Quando digo que os bombardeamentos de cidades alemãs podiam ser defensáveis em 1940 e 41, isto aplica-se apenas a esses anos e não se estende a mais nenhum. O grosso dos bombardeamentos realmente levados a cabo não é com certeza defensável, pois a Alemanha não podia ganhar a guerra. O triunfo do Nazismo já não era um perigo iminente. E os bombardeamentos contínuos também não visavam (como podia ter acontecido) dissuadir ou derrotar os nazis na guerra contra os judeus. O Holocausto poderia ter sido uma urgência suprema nova, mas este dado não entrou nos espíritos dos homens que decidiram a política dos bombardeamentos; não se imaginaram a agir em nome da comunidade judaica europeia.

O mal nazi sugere a forma positiva do argumento da urgência suprema. É essa espécie de mal, rara mesmo na longa história da violência humana, que nos empurra para além da normalidade dos direitos. Os tipos mais banais de derrota militar, de subjugação política, a criação de regimes fantoches e de estados satélites — nada disto pode ser considerado um "empurrão" semelhante pois, nestes casos, conta-se com a sobrevivência física e moral da nação vencida; anseia-se até pela sua resistência revigorada. Os conquistadores convencionais, como Alexandre ou Napoleão, deixam atrás de si comunidades políticas e religiosas mais ou menos intactas. Não era essa a intenção nazi, pelo menos na Europa central e de Leste; e, mesmo no Ocidente, um triunfo duradouro dos nazis acarretaria uma perda de valor maior do que a que os homens e mulheres são moralmente obrigados a suportar. Só uma perspectiva deste tipo convida — mas apenas na medida em que também exige — a uma resposta imoral: fazemos o que temos de fazer (tendo esgotado todas as alternativas legítimas). E se, com a ajuda deste exemplo, conseguirmos ver claramente quando é que se pode ultrapassar a defesa normal dos direitos, também conseguimos ver claramente porque é que não a podemos ultrapassar, a menos que ocorra uma situação destas. Porque ultrapassá-la é também uma perda de valor, uma acção exactamente do mesmo tipo daquela que prevemos que o outro lado empreenda e que esperamos poder evitar. Nas urgências supremas imitamos os nossos piores inimigos (tal como o bombardeamento da Alemanha imitou o bombardeamento de Coventry e o *blitz* de Londres) e isso é algo com que nunca nos poderemos conformar.

Decorre deste argumento que a urgência suprema é uma condição à qual temos de tentar escapar. Mais, queremos escapar-lhe pois tememos os perigos que teremos de enfrentar e abominamos os actos imorais que somos levados a cometer. Mas tal como um "estado de emergência" pode ser politicamente conveniente para os dirigentes que preferem governar fora da lei, também um estado de urgência suprema pode ser moralmente conveniente para os dirigentes que queiram descartar-se de proibições e tabus. Nem sempre acontece, é claro, que as emergências tenham um carácter temporário; os grandes perigos podem persistir ao longo de muito tempo. Mas somos moralmente obrigados a lutar contra essa persistência, a procurar uma saída para não corrermos o risco de que pensem que olhamos para as nossas mãos sujas sem as abominarmos. O exemplo óbvio, aqui, é o do "equilíbrio do terror" da Guerra Fria, gerado pelas políticas dos Estados Unidos e da União Soviética. Sugeri, em *Just and Unjust Wars,* que a dissuasão nuclear era normalmente defendida, e justamente defendida, em termos que seguem de perto o argumento da urgência suprema. Se houvesse um desequilíbrio do terror — pensavam ambos os lados — tudo estaria em risco: país e cultura, povo e estilo de vida. E, assim, permitimo-nos ameaçar com o mesmo terrorismo que temíamos: destruição de cidades, matança de grandes números de homens, mulheres e crianças inocentes. A ameaça era imoral, pois é errado ameaçar fazer aquilo que é errado fazer; e embora a ameaça seja um mal menor do que o acto, não se pode considerá-la de ânimo leve quando é acompanhada por preparativos maciços para esse acto.

Aceitámos o risco da guerra nuclear para evitar o risco não de uma subjugação vulgar mas, sim, totalitária. Se este segundo risco viesse a esbater-se (como aconteceu), seríamos obrigados a procurar alternativas à dissuasão na sua forma de Guerra Fria. De qualquer forma, somos obrigados a buscar meios para reduzir o risco — recorrendo à *détente*, por exemplo, ou assinando acordos de controlo ou de redução das armas, ou tomando iniciativas unilaterais em relação aos medos e desconfianças do outro lado. Temos de evitar fazer da urgência uma rotina, lembrando-nos constantemente de que as ameaças com que obrigamos outros a viver, e com que nós próprios vivemos, são ameaças imorais. Ao longo dos anos habituámo-nos aos crimes que obrigatoriamente tivemos de cometer, ficámos calejados e empedernidos. Mas isso não é incompatível com a obrigação de pensar concretamente nesses crimes e na nossa criminalidade involuntária — pois ela não será involuntária se não meditarmos sobre ela. É esta a característica essencial da ética da urgência: reconhecermos simultaneamente o mal a que nos opomos e o mal que fazemos, e erguermo-nos, tanto quanto possível, contra ambos.

Para concluir, volto à base comunitária da ética de emergência. O argumento mais forte contra a urgência suprema transforma em fetiche a comunidade política. Não — e quero sublinhá-lo — o estado: o estado não é mais do que um instrumento da comunidade, uma estrutura particular para organizar a acção colectiva e que pode sempre ser substituído por qualquer outra estrutura. A comunidade política (e também a comunidade da fé) não pode ser substituída do mesmo modo. É constituída por homens, mulheres e crianças que vivem de uma determinada maneira, e a sua substituição exigiria a eliminação das pessoas ou a transformação coerciva do seu estilo de vida. Nenhuma destas acções é moralmente aceitável. Mas a razão por que não é aceitável não tem nada a ver com fetichismo. A comunidade política não é mágica, não é misteriosa e não é, necessariamente, um "objecto de reverência irracional" (a definição de fetiche que consta do dicionário). É uma característica da nossa realidade vivida, uma fonte da nossa identidade e do modo como nos vemos a nós próprios. Podemos obviamente fazer dela um fetiche, como fizeram inúmeros nacionalistas e colectivistas, mas isso é entrar numa versão colectiva de auto-adoração que, provavelmente, terá consequências morais do mesmo tipo que têm as versões individuais. Egoístas e colectivistas, que não reconhecem quaisquer direitos se não os seus próprios, agem erradamente ao menor pretexto, ao menor indício de perigo (talvez também ao menor indício de uma vantagem) para si mesmos. Pelo contrário, uma comunidade não "fetichizada" incita os seus soldados à disciplina e refreia os seus dirigentes que, desta forma, só agirão mal em última instância e por uma necessidade absoluta.

E eis a provocação e o paradoxo finais: as comunidades morais tornam moralmente possíveis grandes imoralidades. Mas fazem-no apenas perante uma imoralidade muito maior, de que é exemplo um ataque de tipo nazi à própria existência de uma determinada comunidade, e apenas no momento em que esse ataque está prestes a ser bem sucedido, e apenas na medida em que a resposta imoral é a única maneira de suster esse sucesso. Reconhecemos uma comunidade moral pelo respeito que ela tem para com essa palavra "apenas", repetidamente usada. A urgência suprema não é, de facto, uma doutrina permissiva. Pode ser posta ao serviço de fins ideológicos e apologéticos, mas isso é verdade com qualquer argumento moral, incluindo o argumento dos direitos individuais. Devidamente entendida, a urgência suprema reforça a normalidade dos direitos, garantindo-lhes largamente a posse da parte de leão do mundo moral. É essa a sua mensagem para gente como nós: é a (quase) totalidade do nosso dever defender os direitos dos inocentes.

4. Terrorismo: uma crítica das desculpas (1988)

Hoje em dia, ninguém defende o terrorismo, nem sequer aqueles que o praticam com regularidade. A prática é indefensável, agora que se reconheceu que, tal como a violação e o assassínio, o terrorismo é um ataque aos inocentes. De certo modo, aliás, o terrorismo é pior do que a violação e o assassínio, porque nestes casos a vítima é escolhida com determinado objectivo; é objecto directo do ataque e o ataque tem uma razão de ser, por muito retorcida ou maldosa que esta seja. As vítimas de um ataque terrorista são terceiros, observadores inocentes; não existe qualquer razão para os atacar; qualquer outra pessoa, dentro de uma vasta classe de pessoas (sem qualquer relação entre elas), servirá. O ataque é dirigido de um modo indiscriminado contra toda a classe. Os terroristas são como assassinos saqueadores, só que o saque que praticam não exprime apenas fúria ou loucura; a fúria tem um objectivo e um programa. Visa a vulnerabilidade geral: matam-se estas pessoas para aterrorizar aquelas. Um número relativamente pequeno de vítimas mortas equivale a um número muito grande de reféns vivos e assustados.

É este, pois, o mal específico do terrorismo — não só a morte de pessoas inocentes como também a intrusão do medo na vida quotidiana, a violação dos objectivos privados, a insegurança dos espaços públicos, a infinita coerção da precaução. Uma vaga de crimes pode, penso eu, produzir efeitos semelhantes, mas ninguém planeia uma vaga de crimes; esta é obra de um milhar de decisores individuais, cada um independente do outro, que só uma mão invisível agrupa. O terrorismo é obra de mãos visíveis; é um projecto organizacional, uma escolha estratégica, uma conspiração para assassinar e intimidar... a ti e a mim. Não é de espantar que os conspiradores tenham dificuldades em defender em público a estratégia que escolheram.

O problema moral é o mesmo, obviamente, quando a conspiração é dirigida, não contra ti e contra mim, mas contra *eles* — protestantes, digamos, não católicos; israelitas, não italianos ou alemães; pretos, não brancos. Estes "limites" raramente perduram muito tempo; a lógica do terrorismo vai alargando a gama da vulnerabilidade. Quanto mais reféns detiverem, mais fortes são os terroristas. Ninguém está seguro quando populações inteiras são postas em perigo. Mesmo se o perigo fosse restrito, o mal não seria diferente. No que toca a protestantes, israelitas ou pretos, na sua individualidade, o terrorismo é aleatório, degradante e assustador. É esta a sua marca distintiva e é por isso que não pode ser defendido.

Mas, eliminada a justificação moral, abre-se a porta à desculpa e à defesa ideológicas. Vivemos hoje numa cultura política de desculpas. Esta é bastante melhor do que uma cultura política em que o terrorismo é abertamente defendido e justificado, porque as desculpas, ao menos, reconhecem o mal. Mas a melhoria é precária, arrancada à força e difícil de sustentar. Não quer dizer que, mesmo neste mundo melhor, as organizações terroristas não tenham apoiantes. O apoio é indirecto, mas nada ineficaz. Assume a forma de descrições e explicações apologéticas, uma ladainha de desculpas que vai progressivamente minando o conhecimento que temos do mal. Hoje, esse conhecimento é insuficiente, a menos que seja complementado e reforçado por uma crítica sistemática das desculpas. É esse o meu objectivo aqui. Assumo este princípio: cada acto de terrorismo é um acto iníquo. A iniquidade das desculpas, contudo, não pode ser considerada um dado adquirido: tem que ser justificada. As próprias desculpas são sobejamente conhecidas, são elas que alimentam o debate político contemporâneo. Vou enumerá-las sob a forma de estereótipos. Não é necessário atribuí-las a este ou àquele autor, publicista ou comentador; deixo essa tarefa aos meus leitores.[1]

---

[1] Não consigo resistir a dar alguns exemplos: Edward Said, "The Terrorism Scam", em *The Nation*, 14 de Junho de 1986; e (mais inteligente e circunspecto) Richard Falk, "Thinking about Terrorism", em *The Nation*, 28 de Junho de 1986.

A desculpa mais vulgar para o terrorismo é que se trata de um último recurso, escolhido apenas quando tudo o resto falha. A imagem é a de um povo que esgotou literalmente todas as opções. Uma por uma, experimentou todas as formas legítimas de acção política e militar, esgotou todas as possibilidades, todas falharam, até que só lhe restou a alternativa do mal que é o terrorismo. Têm que ser terroristas porque não podem fazer mais nada. Neste caso, a resposta fácil é insistir que, perante esta descrição, não devem mesmo fazer mais nada; na realidade já esgotaram todas as possibilidades. Mas esta resposta limita-se a reafirmar o princípio e ignora a desculpa; não tem em conta o desespero dos terroristas. Seja qual for a causa com que estão comprometidos, temos de reconhecer que, precisamente por haver esse compromisso, a única coisa que eles não podem fazer é "não fazer nada."

Mas o caso está mal descrito. Não é assim tão fácil chegar ao "último recurso". Antes de lá chegar é, de facto, necessário tentar tudo (o que é muita coisa) e não apenas uma vez — tal como se um partido político organizasse uma única manifestação, não conseguisse uma vitória imediata e achasse que tinha plena justificação para passar à matança. A política é uma arte da repetição. Os activistas e os cidadãos aprendem com a experiência, quer dizer, fazendo repetidamente a mesma coisa. Não é de forma nenhuma claro quando esgotam as opções mas, mesmo em condições de opressão e de guerra, os cidadãos têm um longo caminho a percorrer antes de chegarem a esta situação. O mesmo argumento se aplica aos representantes do estado que disseram que tinham feito "tudo" e que são, agora, obrigados a matar os reféns ou a bombardear as aldeias. Imaginem estas pessoas convocadas perante um tribunal a terem de responder à pergunta: E tentou o quê, exactamente? Alguém acredita que poderiam responder, apresentando uma lista plausível? O "último recurso" só é último em termos de noção; o recurso ao terror é ideologicamente o último recurso, mas não é o último de uma série real de acções, é apenas o último em termos de desculpa. Na realidade, a maioria dos representantes do estado e dos militantes de movimentos que recomendam uma política de terrorismo, recomendam-na como uma primeira instância. São a favor dela logo desde o início, embora no início talvez não consigam impor as suas ideias. Se forem honestos têm de inventar outras desculpas e pôr de lado a pretensão de que é o último recurso.

[Poderá o terrorismo justificar-se como "urgência suprema", tal como esta é descrita em "Ética de urgência" (capítulo terceiro)? É possível, mas apenas se a opressão contra a qual o terrorismo diz reagir for do tipo genocídio. Contra a ameaça iminente de extinção política e física, as medidas extremas podem ser defensáveis, partindo do princípio de que têm alguma hipótese de sucesso. Mas este tipo de ameaça não estava presente em nenhum dos casos recentes de actividade terrorista. O terrorismo não foi uma maneira de evitar o desastre mas, sim, de conseguir sucesso político.]

A segunda desculpa aplica-se aos movimentos de libertação nacional que lutam contra estados estabelecidos e poderosos. A alegação, agora, é que nada mais é possível, que não existe outra estratégia para além do terrorismo. Esta desculpa difere da primeira porque não exige que os eventuais terroristas percorram toda a gama de opções disponíveis. Ou melhor, a segunda desculpa exige que os terroristas percorram todas estas opções mentalmente, mas não no mundo real; basta-lhes a noção de finalidade. Os estrategas do movimento consideram as várias opções e concluem que não há alternativa ao terrorismo. Pensam que não têm a força política para tentar outras coisas, e por isso não tentam mais nada. A sua desculpa é a fraqueza.

Vulgarmente, porém, confundem-se aqui dois tipos de fraqueza muito diferentes: a fraqueza do movimento perante o estado-oposição, e a fraqueza do movimento face ao próprio povo. Este segundo tipo de fraqueza, a incapacidade do movimento de mobilizar a nação, torna o terrorismo a "única" opção porque, de facto, suprime todas as outras: a resistência não violenta, as greves gerais, as manifestações em massa, a guerra não convencional, etc.

Só raramente é que o simples poder do estado descarta estas opções, pois a opressão é omnipresente e intensa. Os estados totalitários poderão ser imunes à resistência de guerrilha ou à resistência não violenta, mas todas as provas sugerem que também são imunes ao terrorismo. Ou, mais exactamente, nos estados totalitários, o terror do estado domina qualquer outro tipo de terror. Quando o terrorismo é uma estratégia possível para os movimentos da oposição (obviamente, nos estados liberais e democráticos), outras estratégias são também possíveis se esses movimentos tiverem apoio popular significativo. Na ausência de apoio popular, o terrorismo pode ser, de facto, a única estratégia disponível, mas é difícil perceber como os seus malefícios podem então ser desculpados. Porque não é só a fraqueza que constitui a desculpa; é também a alegação dos terroristas de que representam os fracos; e a forma particular de fraqueza que faz do terrorismo a única opção, questiona essa alegação.

Poder-se-á evitar esta dificuldade insistindo, mais veementemente, na real eficácia do terrorismo. A terceira desculpa é, simplesmente, que o terrorismo funciona (e nada mais funciona); atinge os objectivos dos oprimidos, mesmo sem que esses tenham de participar. "Quando o acto acusa, o resultado escusa."[2] Este argumento é consequencialista e, considerando o significado restrito de consequencialismo, este argumento equivale a uma justificação mais do que a uma desculpa. Na prática, contudo, é raro que o argumento seja levado tão longe. Na maior parte dos casos, o argumento começa com um reconhecimento das más acções dos terroristas. Embora tenham as mãos sujas, há que estabelecer com eles uma espécie de paz porque eles agiram em nome do povo que não podia agir sozinho. Mas, na realidade, terão sido eficazes as acções dos terroristas? Duvido que o terrorismo alguma vez tenha levado à libertação nacional — não conheço uma única nação que deva a sua liberdade a uma campanha de assassínios aleatórios — embora o terrorismo aumente, indubitavelmente, o poder dos terroristas no seio dos movimentos de libertação

---

[2] Machiavelli, *The Discourses* I: IX. Para já, contudo, não houve qualquer resultado que constituísse uma desculpa maquiavélica.

nacional. Talvez o terrorismo leve também à sobrevivência e notoriedade (as duas coisas andam de mãos dadas) dos movimentos que agora são dominados pelos terroristas. Mas, mesmo partindo do princípio de que existe uma relação meios/fins entre terror e libertação nacional, a terceira desculpa não funciona, a não ser que consiga cumprir as exigências seguintes de um argumento consequencialista. Tem de ser possível dizer-se que o fim desejado não poderia ser atingido através de outros meios menos iníquos. A terceira desculpa depende, portanto, do sucesso da primeira ou da segunda, e nenhuma destas parece ter qualquer probabilidade de sucesso.

A quarta desculpa evita o obstáculo desta dependência. Esta desculpa não exige que o seu proponente defenda tanto as alegações improváveis de que o terrorismo é o último recurso como aquelas que pretendem que se trata do único recurso possível. A quarta desculpa é simplesmente de que o terrorismo é o recurso universal. Toda a política é (verdadeiramente) terrorismo. O aparecimento da inocência e da decência é sempre um embuste, mais ou menos convincente conforme o poder relativo dos embusteiros. O terrorista, que não se preocupa com as aparências, está apenas a fazer, abertamente, o que todos os outros fazem, em segredo.

Este argumento tem a mesma forma que o ditado "no amor e na guerra vale tudo". O amor é sempre fraudulento, a guerra é sempre brutal e a acção política tem sempre um carácter terrorista. A acção política funciona (como há muito afirmou Thomas Hobbes) apenas porque gera terror em homens e mulheres inocentes. O terrorismo é a política tanto dos governantes como dos movimentos militantes. Este argumento não justifica nem governantes nem militantes, mas desculpa-os a todos. Não é possível censurar pessoas que agem como toda a gente age. Provavelmente, só os santos agem de forma diferente e, em política, a santidade vem por acréscimo, é uma questão de graça, não de obrigação.

Mas esta quarta desculpa baseia-se, demasiadamente, no nosso cinismo em relação à vida política, e o cinismo só muito raramente é uma boa resposta à experiência. Na realidade, os estados legítimos não precisam de aterrorizar os seus cidadãos, e os movimentos que têm uma base de apoio forte não precisam de aterrorizar os seus opositores. Os governantes e militantes que vivem, digamos assim, nas margens da legitimidade e da força, escolhem por vezes o terrorismo e outras vezes não. Viver no terror não é uma experiência universal. O mundo que os terroristas criam tem as suas entradas e as suas saídas.

Se quisermos compreender a opção do terror, a opção que empurra os restantes de nós porta fora, temos de imaginar aquilo que na realidade ocorre sempre, apesar de muitas vezes não possuirmos um registo satisfatório da ocorrência: um grupo de homens e mulheres, governantes ou militantes, está sentado à volta de uma mesa a discutir se devem, ou não, adoptar uma estratégia terrorista. Mais tarde, a ladainha das desculpas escamoteia o argumento. Mas nessa altura, à volta daquela mesa, não serviria de nada que os defensores do terrorismo dissessem "toda a gente faz isto", porque estariam face a face com pessoas que proporiam fazer uma coisa diferente. Também não é historicamente verdadeiro que os membros deste último grupo, os opositores ao terrorismo, percam sempre a parada. Podem ganhar, e apesar disso não conseguir impedir uma campanha terrorista; os eventuais terroristas (e não são precisos muitos) podem sempre dividir o movimento e seguir o seu próprio caminho. Ou podem rebentar com a burocracia, ou com a polícia, ou com o exército e agir à sombra do poder do estado. O terrorismo, de facto, tem muitas vezes a sua origem nessas cisões. As primeiras vítimas são os antigos colegas ou camaradas dos terroristas. Que razões podemos então ter para pôr os dois grupos no mesmo pé? Se atribuirmos valor à política dos homens e das mulheres que se opõem ao terrorismo, temos de rejeitar as desculpas dos seus assassinos. O cinismo, nestes momentos, é injusto para as vítimas.

A quarta desculpa pode também assumir, e assume muitas vezes, uma forma mais restrita. A opressão, mais do que a regra política em geral, tem sempre um carácter terrorista, e assim temos sempre de desculpar aqueles que se opõem à opressão. Quando escolhem o terrorismo estão apenas a reagir à escolha anterior de outrem, a pagar, em espécies, o tratamento a que durante muito tempo foram sujeitos. É claro que o seu terrorismo repete o mal — são mortas pessoas inocentes que nunca foram opressoras — mas a repetição não é a mesma coisa que a iniciação. Os opressores definem os termos da luta. Mas se a luta for travada nos termos dos opressores, então é provável que os opressores vençam. Ou, pelo menos, é provável que a opressão vença, mesmo que assuma um novo rosto. Por isso os objectivos de qualquer movimento de libertação ou de mobilização popular são uma alteração dos termos. Não temos qualquer razão para desculpar o terrorismo, adoptado como reacção pelos opositores da opressão, a menos que estejamos convencidos da sinceridade da sua oposição, da seriedade do seu compromisso para com uma política não opressiva. Mas a escolha do terrorismo mina essa convicção.

Muitas vezes pedem-nos que distingamos o terrorismo dos oprimidos do terrorismo dos opressores. No entanto, onde reside esta diferença? A mensagem do terrorista é, em ambos os casos, a mesma: a negação da noção de pessoa humana e de humanidade dos grupos entre os quais encontra as suas vítimas. O terrorismo antecipa a dominação política quando não a põe directamente em prática. Que importa se um grupo dominado for substituído por outro? Imagine-se uma revolta de escravos, cujos protagonistas sonham apenas com escravizar, por seu turno, os filhos dos senhores. O sonho é compreensível, mas o fervoroso desejo desses filhos de que a revolta seja reprimida também é compreensível. Em nenhum dos casos a compreensão serve de desculpa — pelo menos não depois de uma política de liberdade universal se ter tornado possível. E a compreensão da opressão também não desculpa o terrorismo dos oprimidos, quando percebemos o sentido de "libertação".

São estas as quatro desculpas genéricas do terror, e cada uma delas é falível. Dependem de declarações sobre o mundo que são falsas, de argumentos históricos para os quais não há provas, de alegações morais que acabam por ser ocas ou desonestas. Não quer isto dizer que não possa haver desculpas mais específicas e mais plausíveis, circunstâncias atenuantes, em determinados casos, que poderíamos ser obrigados a reconhecer. Tal como acontece com os assassínios, podemos contar uma história (semelhante à história que Richard Wright conta em *Native Son,* por exemplo) que nos pode levar, não a justificar o terrorismo, mas a desculpar este ou aquele terrorista individual. Podemos ter uma história pessoal, um estudo psicológico de compaixão destruída pelo medo, de razão moral destruída pelo ódio e pela raiva, de inibição social destruída pela violência interminável — cujo produto é um indivíduo levado a matar, ou facilmente convencido a matar, pelos seus dirigentes políticos.[3] Mas a força desta história não dependerá de nenhuma das quatro desculpas genéricas que afirmam, todas elas, aquilo que o contador da história terá que negar: que o terrorismo é a opção deliberada de homens e mulheres racionais. Quer o considerem uma opção entre outras, quer o considerem a única opção possível, têm sempre de argumentar e de escolher. Quer estejam a agir ou a reagir, tomaram uma decisão. Os instrumentos humanos que subsequentemente encontram para pôr a bomba ou disparar a espingarda podem estar a agir psicologicamente coagidos, mas os homens e mulheres que escolhem o terror como política agem "livremente". Não podem agir de qualquer outro modo, nem aceitar qualquer outra descrição da sua acção, e continuar a pretender que são os dirigentes do movimento ou do estado. Nunca deveríamos desculpar estes dirigentes.

Que resulta da crítica das desculpas? Ainda resta muito espaço para debater a melhor maneira de responder ao terrorismo. É evidente que há que resistir aos terroristas e é pouco provável que uma resistência puramente defensível seja alguma vez suficiente. Neste tipo de combate, a ofensa é sempre precedente. A tecnologia do terror é simples; as armas são produzidas com

---

[3] Ver, por exemplo, Daniel Goleman, "The Roots of Terrorism are found in Brutality of Shattered Childhood", *New York Times*, 2 de Setembro de 1986, pp. C1, 8. Goleman discute a história psicológica e social de terroristas individuais e não as raízes do terrorismo.

rapidez e são fáceis de utilizar. É impossível proteger as pessoas contra ataques aleatórios e indiscriminados. Assim, a resistência tem de ser complementada com uma certa combinação de repressão e retaliação. Trata-se de um assunto perigoso, porque a repressão e a retaliação assumem muitas vezes formas terroristas, e há hordas de defensores que têm sempre umas desculpas prontas que se parecem extraordinariamente com as dos próprios terroristas. Neste momento, porém, já deve estar claro que o contra-terrorismo não pode ser desculpado apenas por ser reactivo. Cada novo actor, terrorista ou contra-terrorista, alega que está a reagir a outrem, que se encontra num círculo e que se limita a passar adiante o mal. Mas o círculo tem um carácter ideológico; na realidade, cada actor é um agente moral e toma uma decisão independente.

Assim, a repressão e a retaliação não podem repetir os males do terrorismo, o que equivale a dizer que repressão e retaliação têm de visar sistematicamente os próprios terroristas, nunca as pessoas em nome das quais os terroristas dizem agir. Esta afirmação é sempre duvidosa, mesmo quando proferida honestamente. As pessoas não autorizam os terroristas a agir em seu nome. Só um número muito reduzido participa realmente nas actividades terroristas; é muito mais provável que sofram com o programa dos terroristas do que beneficiem com ele. Mesmo que tivessem apoiado esse programa e esperado tirar dele benefícios, continuariam a estar imunes ao ataque — tal como os civis que, em tempo de guerra, apoiam o esforço de guerra mas não participam directamente nela estão sujeitos à mesma imunidade. Os civis podem ser postos em perigo pelos ataques a alvos militares, tal como pelos ataques a alvos terroristas, mas esse perigo deve ser o mais reduzido possível, mesmo que isso tenha custos para os atacantes. A recusa de transformar pessoas vulgares em alvos, seja qual for a sua nacionalidade ou até as suas opções políticas, é a única maneira de dizer não ao terrorismo. Qualquer acto de repressão e de retaliação tem de se medir por este padrão.

Mas que aconteceria se o "único modo" de derrotar os terroristas fosse a intimidação dos seus apoiantes, reais ou potenciais?

É importante negar a premissa desta questão: que o terrorismo é uma política que depende do apoio das massas. Na realidade, é sempre a política de uma elite, cujos membros são dedicados e fanáticos e estão sempre mais do que dispostos a sofrer — ou a ver outros sofrer — as devastações de uma campanha anti-terrorista. Mais: os terroristas agradecem o contra-terrorismo: este torna mais plausíveis as suas desculpas e, seja qual for o número de mortos e feridos, seja qual for o número de pessoas aterrorizadas, traz-lhes indubitavelmente o pequeno número de recrutas que são necessários para sustentar as actividades terroristas.

A repressão e a retaliação só são respostas legítimas ao terrorismo quando são compelidas pelo princípio moral que rejeita o próprio terrorismo. Mas existe uma resposta alternativa que procura evitar a violência que estas duas acarretam. A alternativa é nós próprios atacarmos directamente a opressão a que os terroristas dizem opor-se. A opressão, dizem eles, é a causa do terrorismo. Mas isto é apenas mais uma desculpa. A causa real do terrorismo é a decisão de lançar uma campanha terrorista, uma decisão tomada por aquele grupo de pessoas instalado à volta de uma mesa, cujas deliberações já descrevi. Contudo, os terroristas exploram de facto a opressão, a injustiça e a miséria humana, e servem-se delas pelo menos como desculpa. Não pode haver grandes dúvidas de que a opressão lhes dá mais força. Será isso razão para nos decidirmos a defender os oprimidos? Parece-me que já temos razões de sobra para o fazer e que não necessitamos de mais esta — ou, pelo menos, não deveríamos necessitar — para nos incitar à acção. Poderíamos imitar aqueles movimentos militantes que se opõem à adopção de uma estratégia terrorista — embora não o façamos, como dizem os terroristas, por esses militantes estarem dispostos a tolerar a opressão. Eles já se opunham à opressão, e agora acrescentam a essa oposição — se calhar pelas mesmas razões — uma recusa do terror. Portanto, também nós já nos deveríamos ter oposto anteriormente, e deveríamos agora fazer o mesmo acrescento.

Mas existe um argumento, que é apresentado actualmente com alguma insistência, que diz que devemos recusar-nos a reconhecer a existência de algum laço entre terrorismo e opressão — como se qualquer defesa de homens e mulheres oprimidos permitisse a aceitação da eficácia de uma campanha terrorista, quando essa campanha é lançada. Ou, pelo menos, essa defesa daria ao terrorismo uma aparência de eficácia e aumentaria assim a probabilidade de campanhas terroristas no futuro. É o lado inverso da ladainha das desculpas, virámos o disco. Primeiro a opressão é transformada numa desculpa do terrorismo, e depois o terrorismo é transformado numa desculpa da opressão. A primeira é a desculpa da extrema-esquerda; a segunda é a desculpa da direita neo-conservadora.[4] Duvido que os verdadeiros conservadores achem que é uma boa razão para defender o *status quo* atacado pelos terroristas; terão certamente razões independentes e estarão preparados para defender o *status quo* contra qualquer tipo de ataque. Do mesmo modo, aqueles de nós que pensam que o *status quo* exige mudanças urgentes, têm as suas razões para pensar assim e não precisam que os terroristas os intimidem — nem, já agora, que os anti-terroristas os intimidem.

Se criticamos a primeira desculpa não devemos desprezar a segunda. Mas devo definir a segunda com mais precisão. Não é tanto uma desculpa da opressão, como uma desculpa por não fazer nada (agora) quanto à opressão. Alega-se que a campanha contra o terrorismo tem prioridade sobre qualquer outra actividade política. Se as pessoas que dirigem esta campanha forem os antigos opressores, há que estabelecer com eles uma espécie de paz — temporariamente, é claro, até que os terroristas tenham sido derrotados. Esta é uma estratégia que nega a possibilidade de uma guerra em duas frentes. Enquanto os homens e as mulheres que pretendem dirigir a luta contra a opressão forem terroristas, não podemos aceitar nenhuma das suas exigências. E não nos podemos opor aos seus opositores.

---

[4] A posição neo-conservadora está representada, embora não de forma tão explícita como eu aqui a citei, em Benjamin Netaniahu, ed., *Terrorism: How the West Can Win* (Nova Iorque: Farrar, Straus & Giroux, 1986).

Mas porque não? Não é provável, em qualquer caso, que os terroristas gritem vitória face a um esforço sério para contrariar a opressão das pessoas que eles alegam defender. O esforço limitar--se-ia a demonstrar quão oca é essa alegação e, quanto mais os terroristas se aproximassem do sucesso, maior seria a escalada do terrorismo. Continuariam a ter de ser derrotados, porque aquilo que procuram não é uma solução para o problema mas, sim, o poder para impor a sua própria solução. Nenhum fim decente para o conflito na Irlanda, por exemplo, ou no Líbano, ou no Médio Oriente em geral, poderá parecer-se com uma vitória do terrorismo — quanto mais não seja porque cada um dos diferentes grupos de terroristas está comprometido, devido à própria estratégia adoptada, com um fim "indecente".[5] Lutando pelos nossos próprios fins, nós demonstramos essa indecência.

Vale a pena analisar, com maior profundidade, a relação entre opressão e terror. Pretender que não existe qualquer relação é ignorar os registos históricos, mas estes são mais complexos do que qualquer das desculpas reconhece. Contudo, a primeira coisa sobre a qual se deve ponderar é bastante simples: a opressão não é tanto a causa do terrorismo, quanto o terrorismo é um dos meios principais da opressão. Isto era verdade em tempos antigos, como foi reconhecido por Aristóteles, e ainda é verdade hoje em dia. Os tiranos governam aterrorizando os seus súbditos; os regimes injustos e ilegítimos sustentam-se numa combinação de violência cuidadosamente planeada e de violência aleatória.[6] Se este método funciona a nível do estado, não há razão para pensar que não funcionará, ou que não funciona, nos movimentos de libertação. Onde quer que vejamos terrorismo, devemos procurar tirania e opressão. Os estados autoritários, nomeadamente no momento da sua

---

⁵ A razão pela qual a estratégia terrorista, por muito indecente que seja, não pode ser instrumental em qualquer objectivo político decente, é porque qualquer objectivo decente tem de considerar as pessoas contra quem o terrorismo se dirige, e aquilo que o terrorismo exprime é precisamente a recusa de considerar essas pessoas, a desvalorização radical do Outro. Ver o meu argumento em *Just and Unjust Wars* (Nova Iorque: Basic Books, 1977), 197-206, especialmente 203.

⁶ Aristóteles, *The Politics*, 1313-1314a.

fundação, precisam de um aparato terrorista — polícia secreta com poderes ilimitados, prisões secretas onde os cidadãos desaparecem e esquadrões da morte em automóveis não identificáveis. As próprias democracias podem recorrer ao terror, não contra os seus próprios cidadãos mas marginalmente, nas colónias, por exemplo, onde os colonizadores provavelmente também governam de forma tirânica. A opressão é muitas vezes mantida através de uma pressão regular e discriminada, outras vezes através de uma violência intermitente e aleatória — aquilo que podemos considerar um melodrama terrorista — destinada a assustar a população e a torná-la passiva.

Esta última política, sobretudo quando parece revestir-se de sucesso, convida os opositores do estado a imitá-la. Mas o terrorismo não se espalha apenas quando é imitado. Se pode ser inventado pelos governantes também pode ser inventado pelos movimentos militantes. Nenhum tem lições a receber do outro; o círculo não tem um ponto de partida único ou necessário. Seja qual for o ponto de onde parte, o terrorismo dos movimentos é tirânico e opressivo, tal como é o terrorismo do estado. O objectivo dos terroristas é governar, e o assassínio é o seu método. Têm a sua própria polícia interna, esquadrões de morte, desaparecimentos. Começam por matar ou intimidar aqueles camaradas que os impedem de avançar, e fazem o mesmo, se puderem, entre as pessoas que alegam representar. Se os terroristas tiverem sucesso, governam de forma tirânica e o seu povo terá de suportar, sem o consentir, as custas da dominação terrorista. (Se os terroristas conseguirem apenas em parte os seus intentos, as custas que o povo terá de pagar são ainda maiores: terá de suportar uma guerra entre gangs de terroristas rivais.) Mas os terroristas não podem alcançar a vitória definitiva que buscam sem desafiar o regime estabelecido ou o poder colonial e o povo que este diz representar, e quando os terroristas o fazem, eles próprios convidam à imitação. O regime pode então responder com a sua própria campanha de violência programada e aleatória. O terrorista persegue o terrorista, cada um deles apresentando o outro como desculpa.

A mesma violência pode também alastrar a países onde ainda não tenha sido experimentada; desta forma, o terror reproduz-se, não através de uma sucessão temporal, mas através de uma adaptação ideológica. Os terroristas de estado desencadeiam guerras sangrentas contra inimigos em grande parte imaginários: por exemplo, coronéis do exército que perseguem os representantes do "comunismo internacional". Ou então os movimentos terroristas desencadeiam guerras sangrentas contra inimigos com quem, se não fosse a ideologia, poderiam facilmente negociar e chegar a compromissos: fanáticos nacionalistas comprometidos com um irredentismo permanente. Estas guerras, apesar de não terem precedentes, tornar-se-ão provavelmente precedentes, dando origem ao círculo de terror e contra-terror que é infinitamente opressor dos homens e mulheres vulgares a quem o estado chama os seus cidadãos e a quem o movimento chama o seu "povo".

A única maneira de romper o círculo é recusar-se a jogar o jogo dos terroristas. Os terroristas, tanto do estado como dos movimentos, avisam-nos, com a mesma veemência, que qualquer recusa deste tipo é sinal de moleza e de ingenuidade. O auto-retrato dos terroristas é sempre o mesmo. São obstinados e realistas; conhecem os seus inimigos (ou inventam-nos para fins ideológicos); estão dispostos a fazer o que tem de ser feito para alcançar a vitória. Porque será, então, que os terroristas andam sempre às voltas dentro do mesmo círculo? É verdade: os movimentos terroristas angariam apoios porque pretendem lidar, enérgica e eficazmente, com a brutalidade do estado. Também é verdade: os estados terroristas angariam apoios porque pretendem lidar, enérgica e eficazmente, com a brutalidade dos movimentos. Ambos se alimentam dos medos das gentes oprimidas e brutalizadas. Mas não há maneira de vencer a brutalidade com o terror. No máximo, a carga passa dos ombros de umas pessoas para os de outras; o mais provável é que se acrescentem novas cargas aos ombros de todos. Uma libertação genuína só pode provir de uma política que mobilize as vítimas da brutalidade e que vise, cuidadosamente, os seus agentes, ou de uma política que renuncie à esperança da vitória e da dominação e procure deliberadamente chegar a um acordo de compromisso. Em qualquer dos casos, repudiada a tirania, o terrorismo já não é uma opção, porque aquilo que está subjacente a todas as desculpas, tanto as dos governantes como as dos militantes, é a predilecção por uma política de tirania.

5. A política de salvamento (1994)

Intervir ou não? Esta será sempre uma questão difícil. Mesmo no caso de uma guerra civil brutal, ou de uma fome induzida politicamente, ou do massacre de uma minoria local, o recurso à força, em países de outros povos, deve suscitar sempre hesitação e ansiedade. É o que acontece hoje entre pequenos grupos de pessoas atentas, algumas das quais acabam por apoiar as políticas intervencionistas enquanto outras as rejeitam. Mas muitos governos, e muitos mais políticos, parecem cada vez mais inclinados a achar que se trata de uma questão fácil: a resposta é *não*! São enviados contingentes relativamente pequenos de soldados para ajudar em casos em que não se prevê que tenham de combater — é o caso dos Estados Unidos na Somália, dos europeus na Bósnia, dos franceses no Ruanda. O objectivo, em todos estes países (apesar de uma experiência mais desenvolvida, embora breve, em Mogadíscio) é não alterar as relações de poder no terreno mas apenas melhorar as suas consequências — por exemplo, fornecer alimentos e medicamentos às populações cercadas e bombardeadas, sem interferir com o cerco ou com o bombardeamento.

Isto pode ser considerado um triunfo do velho princípio da não-intervenção; só que as razões em que se baseia este princípio, e que analisaremos dentro de momentos, não parecem ser as razões que movem hoje em dia governos e políticos. Estes não se centram nos custos que a intervenção, ou até a não-intervenção, tem para os homens e mulheres cujos perigos ou sofrimentos suscitam a questão; centram-se apenas nos custos em que eles próprios e os seus soldados incorrem, ou seja, em que incorre a sua posição política no país. É evidente que os governos têm de pensar neste tipo de coisas: os dirigentes políticos têm de manter o seu apoio interno, se quiserem agir com eficácia no exterior. Mas também têm de *agir com eficácia no exterior* quando a ocasião assim o exige, e têm de ser capazes de avaliar quão urgente é esta exigência à luz dos termos morais e políticos adequados. Em tempos, a ideologia da Guerra Fria forneceu uma série de termos que, de facto, nem sempre se aplicavam aos casos em apreço, mas que permitiam responder às considerações internas. Acabada que foi a Guerra Fria, não há qualquer ideologia comparável que tenha essa capacidade. À pergunta: intervir ou não intervir? responde--se todos os dias, mas não há qualquer indício de que as avaliações que ela exigiria sejam realmente feitas.

Vou centrar-me nos argumentos pró e contra da "intervenção humanitária", porque é isto que está em causa na antiga Jugoslávia, no Cáucaso, em partes da Ásia, em quase toda a África. Massacres, violações, limpeza étnica, terrorismo de estado, versões contemporâneas do "feudalismo bastardo", tudo isto misturado com senhores da guerra impiedosos e bandos de homens armados fora da lei: são estes os actos e situações que nos convidam (ou nos obrigam) a pôr de lado o preconceito contra a deslocação de exércitos para o outro lado das fronteiras e o uso da força em países que nem ameaçaram nem atacaram os seus vizinhos. Não há aqui qualquer preocupação com uma agressão externa, apenas com a brutalidade interna, guerra civil, tirania política, perseguição étnica ou religiosa. Quando é que os agentes e os poderes do mundo (as Nações Unidas, a Comunidade Europeia, a Aliança Pan-Americana, a Organização de Unidade Africana, os Estados Unidos) devem meramente observar e protestar? Quando é que devem protestar e, em seguida, intervir?

Os preconceitos contra a intervenção são fortes; nós (sobretudo na esquerda) temos razões para tal, razões que decorrem da nossa oposição às políticas imperialistas e do nosso compromisso para com a auto-determinação, mesmo quando o processo de auto--determinação pouco tem de pacífico e de democrático. Já desde a época romana que os impérios se expandiram mediante a intervenção em guerras civis, substituindo "a anarquia" pela lei e pela ordem, derrubando regimes alegadamente maléficos. É possível imaginar que esta expansão salvou vidas mas apenas à custa de criar, em simultâneo, uma "prisão de nações" cujas consequências são uma longa história de revoltas prisionais brutalmente reprimidas. Por isso, pareceria melhor que as pessoas que viveram juntas no passado e que têm de continuar a viver juntas no futuro pudessem tentar resolver os seus problemas entre si, sem assistência imperialista. A resolução dos conflitos só será estável se tiver uma base local; e poucas são as hipóteses de ser consensual se a sua origem não for local.

Porém, a não-intervenção não é uma regra moral absoluta: por vezes, o que se passa a nível local não pode ser tolerado. Daí, a prática da "intervenção humanitária" — de que muito se abusa, sem dúvida, mas que é moralmente necessária sempre que a crueldade e o sofrimento são extremos e as forças locais não parecem capazes de lhes pôr fim. As intervenções humanitárias não são justificadas por propósitos de democracia, ou de economia de mercado, ou de justiça económica, ou de associação voluntária, ou por qualquer outra prática social que, esperamos, e até desejamos, exista nas terras de outras pessoas. O seu objectivo é profundamente negativo: pôr fim às acções que, para utilizar uma frase antiquada mas correcta, "chocam a consciência" da humanidade. Alguns exemplos contemporâneos são úteis e, na minha opinião, justificáveis: a Índia no Paquistão Oriental, a Tanzânia no Uganda, o Vietname no Camboja. É provável que intervenções deste tipo sejam mais eficazes quando levadas a cabo pelos vizinhos, como acontece nestes três casos, já que os vizinhos compreendem melhor a cultura local. Mas também é verdade que os vizinhos podem ter velhas questões a resolver ou velhas (ou novas) ambições de dominar a região. Se confiássemos mais na eficácia das Nações Unidas ou das várias associações regionais, poderíamos exigir uma responsabilização internacional ou, pelo menos, multilateral, assim como cooperação e controlos. Analisarei depois esta possibilidade. Poderia ser uma forma de controlar as intervenções dos estados individuais que visam uma expansão económica ou política. Para já, no entanto, o agente-de-último-recurso será alguém que esteja suficientemente próximo e que seja suficientemente forte para conseguir pôr fim àquilo que não pode continuar.

Mas isto nem sempre é fácil. Na óptica normal da intervenção humanitária (que eu adoptei, quando escrevi *Just and Unjust Wars,* há quase vinte anos), a fonte da inumanidade é vista como sendo, de certo modo, externa e singular: um tirano, um conquistador, ou um usurpador, ou um poder alienígena que domina uma massa de vítimas. A intervenção tem assim um objectivo que é tão simples quanto negativo: remover o tirano (Pol Pot, Idi Amin), libertar o povo (Bangladesh) e, depois, ir-se embora. Resgatar o povo que sofre daqueles que lhe impõem esse sofrimento e deixá-lo prosseguir a sua vida. Ajudá-lo, e depois deixá-lo resolver sozinho os seus assuntos, da melhor maneira que puder. O cunho de uma intervenção humanitária genuína, vista sob esta óptica, é que as forças de intervenção entram e saem rapidamente. Não intervêm nem permanecem depois por razões próprias, como fizeram os vietnamitas no Camboja.

Mas o que acontece se as perturbações forem internas, a inumanidade de origem local e profundamente implantada, uma questão de cultura política, de estruturas sociais, de memórias históricas, de temores étnicos, de ressentimento e ódio? Ou então, se estas perturbações decorrem da falência do estado, do colapso de qualquer governo eficaz — o que está mais próximo das predições de Hobbes do que das de Kropotkin —, não exactamente uma "guerra de todos contra todos" mas uma guerra dispersa, desorganizada e mortífera de alguns contra alguns? Não há dúvida de que existem ainda alguns agentes do mal identificáveis, mas agora eles têm, digamos assim, apoio interno, reservas, agentes do mal em fila de espera: que acontece então? E que acontece quando há grupos de vítimas e de vitimizadores que se sobrepõem, como é o caso dos senhores da guerra e dos clãs na Somália, ou talvez dos grupos religiosos/étnicos/nacionalistas na Bósnia? Em todos estes casos, a partida rápida das forças de intervenção pode ser imediatamente seguida pelo reaparecimento das condições que tinham levado à primeira intervenção. Se pusermos de parte a ideia de um mal singular e exterior, o teste "entra e sai" é de muito difícil aplicação. Dependemos extraordinariamente do modelo vítima/vitimizador, bons/maus. Não tenho a certeza de que qualquer intervenção enérgica seja politicamente possível sem esse modelo. Uma das razões da debilidade das Nações Unidas na Bósnia resultou do facto de muitos dos seus representantes no terreno não acreditarem que o modelo se adequa à situação com que têm de se confrontar. Não defendem inteiramente os sérvios, que foram (correctamente) condenados em muitas resoluções das Nações Unidas, mas não consideram os sérvios como totalmente "maus" ou como os únicos "maus" da antiga Jugoslávia. E, assim, tiveram dificuldade em justificar as medidas que seriam necessárias para pôr fim à matança e à limpeza étnica. Imagine-se que tinham tomado essas medidas, como (na minha opinião) deveriam ter tomado: não lhes teria sido também exigido que tomassem medidas semelhantes contra os muçulmanos croatas e bósnios? Em casos como este, a política de salvamento é certamente complexa e confusa.

É muito mais fácil entrar num lugar como a Bósnia do que sair dele, e os custos prováveis, tanto para as forças de intervenção como para a população local, são muito mais elevados do que nas intervenções humanitárias clássicas do passado recente. É por isso que os políticos e militares americanos insistiram ser necessária uma estratégia de saída, antes de se poder proceder a uma intervenção. Mas esta exigência é, na realidade, um argumento contra qualquer intervenção. É muito raro consiguir delinear antecipadamente as estratégias de saída, e um compromisso público de sair, dentro deste ou daquele prazo, daria às forças hostis um incentivo forte para não se manifestarem e aguardarem. Mais vale ficar em casa do que intervir de uma forma que está condenada ao fracasso.

Nos casos em que as políticas e as práticas que têm de ser suprimidas são objecto de um vasto apoio das culturas e estruturas locais, qualquer intervenção potencialmente bem sucedida não poderá aplicar o princípio do "entra e sai". Provavelmente exigirá um desafio muito mais prolongado à soberania convencional: uma presença militar a longo prazo, reconstrução social, aquilo a que se costumava chamar uma "administração territorial política" (já que poucos dos cidadãos locais — pelo menos dos cidadãos com poder — são dignos de confiança) e, em simultâneo, para que tudo isto seja possível, a utilização, repetida e em larga escala, da força. Será que alguém está disposto a isto? A questão é especialmente complicada para gente de esquerda, que se sente consternada com aquilo que aconteceu ou está a acontecer, por exemplo, na Bósnia ou no Ruanda, mas que há muito defende (a maioria de nós) que a melhor coisa a fazer com um exército é deixá-lo estar em casa. Mesmo aqueles que apoiaram, no passado, as intervenções humanitárias, sempre acentuaram a necessidade moral de uma retirada rápida, deixando aos soldados indígenas a responsabilidade de qualquer uso da força que seja ainda necessário.

Agora esta necessidade moral parece ter-se tornado uma necessidade política e prática. Daí, a busca geral de uma solução rápida, como a que o presidente Clinton propôs (e que nunca foi seguida com grande empenho), de "bombardear os sérvios, armar os bósnios". Eu teria apoiado ambas estas políticas, pensando que elas poderiam levar a uma solução local que, por muito sangrenta que viesse a revelar-se, não poderia ser pior do que aquilo que já estava a acontecer. Mas, que se passaria no caso da solução rápida falhar, arrastando consigo uma guerra civil ainda mais brutal e sem fim à vista? Estaríamos, então, dispostos a uma intervenção militar mais directa e mais prolongada — e, se sim, com que tipo de exército? Sob a direcção de quem? Com que tipo de armas, com que estratégia e táctica, dispostos ou não a aceitar baixas e a impô-las?

Esta última questão é provavelmente a questão crucial que torna a intervenção cada vez mais difícil e improvável. Hoje em dia, nas democracias ocidentais, é muito complicado pôr soldados em risco. Mas as intervenções humanitárias e as operações de manutenção da paz são, acima de tudo, actos militares dirigidos contra pessoas que já estão a servir-se da força para quebrar a paz. Serão ineficazes, a não ser que haja uma vontade de aceitar os riscos que estão naturalmente ligados aos actos militares — derramar sangue, perder soldados. Em quase todo o mundo, uma intervenção sem derramamento de sangue e uma operação pacífica de manutenção de paz são coisas contraditórias: se fossem possíveis não seriam necessárias. Na medida em que são necessárias, temos de reconhecer a posição e a função reais dos homens e das mulheres que enviamos para estas missões. Os soldados não são como os voluntários dos *Peace Corps*, nem como os académicos da Fullbright, nem como os músicos ou palestrantes da USIA — que, aliás, nem devem ser enviados para lugares perigosos. Os soldados destinam-se a lugares perigosos e têm de o saber (se não souberem, é necessário dizer-lhes).

Isto não significa que os soldados sejam enviados irresponsavelmente para o perigo. Mas o reconhecimento do seu estatuto e função levanta a questão a que há que responder antes de os enviar para onde quer que seja, no momento em que a sua missão é definida: será esta uma causa pela qual estamos dispostos a ver morrer soldados americanos? Se a resposta a esta pergunta for afirmativa, então não podemos entrar em pânico quando o primeiro soldado, ou o primeiro número importante de soldados (como aconteceu aos dezoito soldados de infantaria na Somália) são mortos num tiroteio. Os europeus na Bósnia, há que dizê-lo, nem sequer esperaram antes de entrar em pânico: deixaram claro, logo desde o início, que os soldados enviados para abrir estradas e transportar mantimentos não deviam ser considerados como *soldados* nos sentidos habituais; eram escuteiros crescidos que faziam boas acções. Mas esta fórmula está condenada ao fracasso. Os soldados que não eram soldados tornaram-se na realidade reféns das forças sérvias que controlavam as estradas: alvo de ataques se alguém desafiasse esse controlo. E os governos europeus, por seu turno, começaram a contestar qualquer desafio desse tipo.

Deveremos pôr soldados em perigo em locais longínquos, quando o nosso próprio país não está a ser atacado nem ameaçado (nem o Maine, nem a Geórgia, nem o Oregon) e quando os interesses nacionais, interpretados em sentido restrito, não estão em jogo? A minha tendência, muitas vezes, é dar uma resposta positiva a esta pergunta (saber se os voluntários ou os recrutados devem ou não suportar estes riscos é uma questão demasiado complicada para ser abordada aqui). A razão é bastante simples: todos os estados têm interesse na estabilidade global e, até, na humanidade global e, no caso de estados ricos e poderosos como é o nosso, a este interesse junta-se uma obrigação. Não há dúvida de que o mundo "civilizado" é capaz de viver com comportamentos grosseiramente incivilizados em lugares como, por exemplo, Timor-Leste — isolados e escondidos. Mas se um comportamento deste tipo não for contrariado tende a alastrar, a ser imitado ou repetido. Quando se paga o preço moral do silêncio e da indiferença não demora a ter de se pagar o preço político dos tumultos e das ilegalidades mais perto da nossa porta.

Concordo que estes pagamentos sucessivos não são inevitáveis mas são muitas vezes sequenciais. Hannah Arendt descreve muito claramente esta sequência quando fala do modo como a brutalidade europeia, nas colónias, acabou por se repercutir na própria Europa. Mas o processo pode funcionar também de outros modos, por exemplo quando os regimes terroristas do terceiro mundo se imitam uns aos outros (muitas vezes com a ajuda do primeiro mundo) e vagas de refugiados desesperados fogem para países em que forças políticas poderosas, embora ainda não ascendentes, só querem rechaçá-los. Durante quanto tempo sobreviverá a decência *aqui* se não existe decência *ali*? Agora, à obrigação junta-se o interesse.

Como já reconheci, o interesse e a obrigação, em conjunto, forneceram muitas vezes uma ideologia à expansão imperial ou ao avanço da Guerra Fria. Por isso, foi a direita política que os defendeu a ambos, enquanto a esquerda adquiriu o hábito da crítica e da rejeição. Mas, nesta época pós-imperial e pós Guerra Fria, é provável que essas posições se invertam ou, pelo menos, se confundam. Muita gente da direita não vê, hoje em dia, qualquer interesse numa intervenção se não houver benefícios materiais ou, até, ideológicos. "O que é a Bósnia para eles, ou eles para a Bósnia, que os leve a chorar por ela?" E um número reduzido mas cada vez maior de pessoas, à esquerda, é agora a favor de uma ou outra intervenção, motivada por uma ética internacionalista. Estas pessoas têm razão em sentir-se motivadas. O internacionalismo foi sempre visto como algo que exige o apoio às lutas do povo, e até a participação nelas, em qualquer parte do mundo. Mas isso significava: temos de esperar pelas lutas do povo. A libertação deveria ser sempre uma iniciativa local. Perante um desastre humano, porém, o internacionalismo assume um significado mais urgente. Não é possível esperar; quem quer que seja que possa tomar a iniciativa deve fazê-lo. A oposição activa aos massacres e às deportações em massa é um imperativo moral; os seus riscos têm de ser aceites.

Mesmo o risco de uma saída bloqueada e de uma longa permanência. Hoje em dia, por razões pelas quais deveríamos provavelmente congratular-nos, os países conturbados já não são vistos como oportunidades imperialistas. Pelo contrário, as metáforas são de mau agouro: são "pântanos" e "lodaçais". Os exércitos de intervenção não serão derrotados nesses locais pegajosos mas sofrerão um ligeiro atrito — e não haverá benefícios rápidos nem óbvios. Como é que os velhos impérios conseguiram levar soldados para locais desses, deixando-os em acampamentos sitiados, a lutar numa fiada incessante de pequenas batalhas desgastantes que ninguém registou? Hoje em dia, quando cada morte passa na televisão, é pouco provável que cidadãos democráticos (os próprios soldados ou os seus familiares) apoiem ou suportem intervenções deste tipo. Porém, é verdade que às vezes estas intervenções têm de ser apoiadas e suportadas. Imagine-se que algum estado poderoso ou uma aliança regional tivesse enviado tropas para o Ruanda logo no início dos massacres, ou logo que se percebeu qual o objectivo destes; o massacre, o êxodo e a epidemia de cólera podiam ter sido evitados. Mas as tropas provavelmente ainda lá estariam e ninguém saberia o que não teria acontecido.

Há duas formas de intervenção duradoura — ambas associadas no passado com políticas imperialistas — que merecem agora ser reanalisadas. A primeira é um tipo de "administração territorial", em que o poder de intervenção governa realmente o país que "salvou", agindo em nome dos habitantes e procurando estabelecer uma política estável, mais ou menos consensual. A segunda é uma espécie de protectorado, em que a intervenção leva ao poder um grupo local ou uma coligação de grupos, e em seguida assume uma posição meramente defensiva, a fim de garantir que o regime derrotado, ou a antiga ilegalidade, não regressem e que os direitos das minorias sejam respeitados. O Ruanda seria um candidato a uma "administração territorial", a Bósnia a um protectorado.

Este tipo de disposições é difícil de recomendar e seria certamente difícil de justificar no clima político actual. As vidas salvas seriam especulativas e estatísticas, não seriam vidas reais; só seriam evitados desastres que *poderiam ter* ocorrido. (Mas como podemos ter certezas?) Isto é salvamento por antecipação, e será dificilmente aceite por aquelas elites locais que acham que nunca haverá necessidade de salvamento se lhes permitirem assumir as responsabilidades — ou que estão dispostas a assumir as responsabilidades, custe o que custar. A própria ideia de um "malogro do estado" parecerá condescendente e arrogante a um grupo do tipo da Frente Patriótica do Ruanda, que ainda não teve nenhuma hipótese de sucesso. E a história das "administrações territoriais" e dos protectorados não é particularmente animadora: o horror contemporâneo da guerra civil no Sudão, por exemplo, não é razão para esquecermos a opressão do antigo "Sudão Anglo-Egípcio". Apesar de tudo, e considerando o que está agora a acontecer no sudeste europeu e na África central, as pessoas com um mínimo de seriedade moral têm de voltar a ponderar os custos e os benefícios, em termos humanos, daquilo a que podemos chamar "intervenções permanentes". O Haiti de hoje [Outubro de 1994] pode ser um caso exemplar, já que as forças multinacionais, dirigidas pelos EUA, servem de protector ao governo restaurado de Aristides — e esta missão será, provavelmente, de longa duração.

Quem poderá, quem deverá assumir esta "intervenção permanente" e pagar o custo de vitórias possíveis mas muitas vezes invisíveis? Esta é, sem dúvida, a pergunta mais difícil, mas não é curiosamente aquela que tem atraído maiores atenções. O debate público tem-se centrado num ponto diferente — como se houvesse (e talvez em tempos tenha havido) um grande número de estados ansiosos por intervir. Portanto a questão é: quem pode autorizar e definir estas intervenções, delinear as suas regras básicas e o calendário, preocupar-se com estratégias e tácticas? A resposta-padrão à esquerda, e provavelmente num espectro mais vasto, é que a melhor autoridade é internacional e multilateral — a ONU é o exemplo óbvio. Por detrás desta preferência está um argumento de certo modo semelhante ao argumento de Rousseau sobre a vontade geral: no decorrer de um processo de decisão democrático, dizia Rousseau, os interesses particulares das diferentes partes anulam-se mutuamente, deixando um interesse geral que não é contaminado por qualquer particularidade. Acontece com os indivíduos nas sociedades, a nível interno, aquilo que acontece aos estados na sociedade internacional: se todos forem consultados, cada um deles vetará as veleidades expansionistas dos outros.

Mas esta ideia não é totalmente atraente porque, muito provavelmente, os seus resultados serão o impasse e a inacção, que nem sempre são a vontade geral da sociedade internacional. Também é possível, claro, que uma coligação de estados que cooperam em nome de interesses (particulares) partilhados leve a melhor; ou que o impasse deixe campo livre à burocracia da ONU para que esta leve por diante um programa próprio. O multilateralismo não é garantia de coisa nenhuma. Poderá ser melhor do que a iniciativa unilateral de um único estado poderoso — apesar do que aconteceu nos exemplos com que comecei, a Índia, o Vietname, a Tanzânia, onde os poderes locais não se saíram inteiramente mal; nenhuma das suas intervenções, exceptuando talvez a última, teria sido autorizada pelas Nações Unidas. Talvez se deva, na prática, considerar uma convergência da autorização multilateral e da iniciativa unilateral — a primeira em nome da legitimidade moral, a segunda em nome da eficácia política — mas o essencial é a iniciativa.

Podemos, então, partir do princípio de que há estados dispostos a tomar a iniciativa e a aguentá-la? Na Somália, os Estados Unidos tomaram a iniciativa, mas não estavam preparados para uma permanência duradoura. A Bósnia fornece o exemplo claro de uma rejeição em série da iniciativa: todos deploraram a guerra e a limpeza étnica, ninguém estava preparado para lhes pôr fim — e ninguém está preparado, agora, para inverter os seus efeitos. Do mesmo modo, os estados africanos e as potências ocidentais ficaram de lado, a observar os massacres no Ruanda. (Lembremos a ordem da Bíblia: "Não permaneças ocioso junto ao sangue do teu vizinho". Os ruandeses, como se veio a verificar, não tinham vizinhos locais, nem globais, até morrerem aos milhares em solo estrangeiro e na televisão.)

Parece fútil dizer aquilo que também é óbvio: que alguns estados deveriam estar preparados para intervir em certos casos. Provavelmente também é fútil nomear os estados e os casos, embora seja o que eu pretendo fazer, partindo do princípio de que até a futilidade melhora quando se torna menos abstracta. A Comunidade Europeia ou, pelo menos, os franceses e os britânicos em conjunto (os alemães estavam fora de jogo por terem sido agressores na Segunda Guerra Mundial) deviam ter intervindo mais cedo na Bósnia. A Organização da Unidade Africana, com a ajuda financeira dos europeus e dos americanos, devia ter intervindo mais cedo no Ruanda. (Concordo que a intervenção na Libéria, dirigida pela Nigéria, não é um precedente inteiramente feliz, embora talvez tenha conseguido reduzir a matança.) Os Estados Unidos deveriam ter intervindo no Haiti meses antes, embora o (provavelmente necessário) protectorado tivesse tido mais sucesso se fosse da responsabilidade de uma coligação dos estados da América Central e das Caraíbas. Mais difícil é dizer quem deveria ter posto fim às matanças no sul do Sudão ou em Timor-Leste: nem sempre existe um candidato óbvio ou uma responsabilidade clara. Também é difícil dizer como se transmite a responsabilidade quando os candidatos óbvios recusam estes encargos. Deveriam os Estados Unidos, já que são a única ou a maior "grande potência" mundial, ser nomeados agente-de-último-recurso? Com a tecnologia de transportes que dominamos, estamos suficientemente perto e somos suficientemente fortes para pôr fim àquilo a que é necessário pôr fim — na maior parte dos casos que tenho vindo a debater (embora não em todos em simultâneo).

Mas a verdade é que ninguém quer que os Estados Unidos se tornem na polícia do mundo, mesmo em último recurso, algo a que assistiríamos rapidamente se assumíssemos esse papel. Do ponto de vista moral e político é melhor uma divisão do trabalho, e o poder americano será muitas vezes mais bem utilizado a pressionar outros países para que façam a parte do trabalho que lhes compete. Apesar disso, continuaremos — e deveremos continuar — a envolver-nos mais fortemente do que outros países com menos recursos. Por vezes os Estados Unidos devem tomar a iniciativa; outras vezes devemos ajudar a pagar uma intervenção iniciada por outros e, até, acrescentar-lhe soldados. Em muitos casos, nada será feito a não ser que se esteja preparado para desempenhar um ou outro destes papéis — um papel de liderança política, ou uma combinação de apoiante financeiro e de actor secundário. As antigas e merecidas desconfianças face ao poder americano têm que dar lugar agora a um reconhecimento cauteloso da sua necessidade. (Comentário de um amigo: acentuavas mais a necessidade de cautela se o presidente fosse republicano. É provável.)

Muitas pessoas à esquerda suspiram por um tempo em que este papel americano necessário se torne desnecessário mediante a criação de uma força militar internacional. Mas esse tempo (que obviamente virá antes do muito anunciado salto do reino da necessidade para o reino da liberdade) ainda está muito longe. Nem um exército das Nações Unidas, com os seus próprios oficiais capazes de agirem independentemente no terreno, se encontrará sempre nos campos adequados (ou seja, nos campos de batalha). A sua presença ou ausência dependerá das decisões de um Conselho de

Segurança que provavelmente estará então tão dividido e inseguro como está hoje, submetido ainda ao veto da grande potência e a severas restrições orçamentais. O útil papel desempenhado pela ONU no Camboja (organizando e supervisionando as operações) aponta para a necessidade de reforçar os seus poderes. Mas não foi a ONU que derrubou Pol Pot e pôs fim aos massacres dos Khmers Vermelhos. E enquanto não tivermos a certeza da sua capacidade e disponibilidade, temos que aceitar as intervenções unilaterais. É bom, repito, quando estas são de iniciativa dos poderes locais, como aconteceu no Vietname; na maioria dos casos, porém, dependerão de potências globais como os Estados Unidos e (espera-se) a Comunidade Europeia.

Apesar de tudo o que disse até agora, não é minha intenção desistir do princípio da não-intervenção — apenas desejo prestar homenagem às suas excepções. É verdade que, hoje em dia, as excepções são muitas. É a tremer que hoje lemos os jornais. Os números enormes de gente assassinada; os homens, mulheres e crianças que morrem de doença e de fome, deliberadamente causadas ou fáceis de prevenir; as massas de refugiados desesperados — nenhuma dessas pessoas será salva pela récita de altos princípios. Sim, a norma é não intervir nos países de outros povos; a norma é a auto-determinação. Mas não para *aquelas* pessoas que são vítimas da tirania, do zelo ideológico, do ódio étnico, que não determinam nada para si próprias, que precisam urgentemente de ajuda exterior. E não basta esperar que os tiranos, os fanáticos e os intolerantes acabem o seu trabalho sujo, para depois irmos a correr levar comida e medicamentos aos desgraçados dos sobreviventes. Sempre que for possível pôr fim ao trabalho sujo, devemos fazê-lo. E se não formos nós, que somos alegadamente as pessoas decentes deste mundo, então quem o fará?

SEGUNDA PARTE
CASOS

6. Justiça e injustiça na Guerra do Golfo (1992)

As teorias políticas são postas à prova por acontecimentos do mundo político. A questão é saber se a teoria esclarece os acontecimentos. Dará relevo às questões importantes? Ajudará a formar, a justificar e a explicar as nossas reacções e os nossos juízos morais?

Considere-se a guerra do Golfo Pérsico como um caso paradigmático. Chamada à colação, até que ponto servirá a teoria da guerra justa? É curioso que alguns críticos da guerra, particularmente críticos religiosos (alguns bispos católicos, os dirigentes do Conselho Mundial das Igrejas), tentaram utilizar e rejeitar, simultaneamente, essa teoria. Falaram de justiça porque queriam dizer que a guerra era injusta, e rejeitaram grande parte da teoria da justiça porque temiam (ou, melhor dizendo, tinham uma consciência muito aguda) que, em termos da norma da guerra justa, aquela guerra não o fosse. Acabaram por recorrer a um argumento que me parece tanto perigoso como errado: que, no mundo moderno, não é possível que uma guerra seja justa. Para eles, a teoria perdeu a capacidade de estabelecer distinções. Considerando os recursos de um exército moderno, considerando a existência de armas de destruição maciça, as antigas categorias já não são aplicáveis. Resta-nos uma teoria da justiça que é obsoleta e uma prática da guerra que é obscena.

É evidente que é possível reinterpretar, ou recuperar, a teoria da guerra justa para dizer que nenhuma guerra pode justificar-se. É importante sublinhar, porém, que "nenhuma guerra", aqui, significa *nenhuma guerra passada ou presente*. A forma de guerra mais destruidora é também uma das mais antigas: o cerco de uma cidade, em que a população civil é o alvo confessado e onde não se faz qualquer esforço para seleccionar soldados e bases militares como alvos dos ataques — um dos requisitos clássicos da justiça na guerra. Aqueles que se opunham à guerra do Golfo e que defendiam um bloqueio prolongado do Iraque parecem não ter percebido que aquilo que defendiam era um acto de guerra radical e indiscriminado, cujas consequências seriam previsivelmente muito duras. A teoria da guerra justa, tal como a entendo, exigiria que se deixassem entrar alimentos e medicamentos — mas, nesse caso, é pouco provável que o bloqueio atingisse os seus objectivos. Seja como for, não há razão para pensar que as decisões deste tipo são mais difíceis agora do que há centenas ou milhares de anos. Nunca houve uma Idade do Ouro da guerra, onde as categorias de guerra justa eram fáceis de aplicar e, por isso, aplicadas regularmente. Se alguma coisa mudou foi a tecnologia moderna, que torna possível combater agora com maior discriminação do que no passado, se houver vontade política para tal.

É possível, no entanto, interpretar a teoria de tal forma que a discriminação entre alvos militares e civis se torna irrelevante. E assim, como veremos, perde-se também outra distinção: entre a teoria da guerra justa e o pacifismo. Alguns bispos, embora ainda formalmente comprometidos com a guerra justa, parecem-me ter já avançado nesta outra direcção. Isto implica uma nova tónica em dois dos princípios da teoria: primeiro, que a guerra tem de ser um "último recurso" e, segundo, que os custos previstos, em termos de soldados e civis, não podem ser desproporcionados (maiores do que) em relação ao valor dos objectivos. Não me parece que qualquer um destes princípios nos ajude muito a estabelecer as distinções morais que temos de fazer. E a guerra do Golfo ilustra de forma útil como ambos são inadequados.

Começarei com uma sequência dos acontecimentos. O Iraque invadiu o Koweit nos princípios de Agosto de 1990. A resistência do Koweit foi breve e ineficaz e o país foi ocupado em poucos dias. Foi esse o início e poderia ter sido o fim da guerra. Seguiu-se uma breve azáfama de actividade diplomática, que tinha por pano de fundo a mobilização americana e a chegada de tropas dos EUA à Arábia Saudita. A diplomacia propôs um bloqueio económico ao Iraque, que foi sancionado pelas Nações Unidas e executado militarmente por uma coligação de estados dirigidos e dominados pelos Estados Unidos. Embora o bloqueio não exigisse uma grande participação militar foi, do ponto de vista técnico e prático, um acto de guerra. Mas a percepção vulgar durante esses meses (Agosto de 1990 — Janeiro de 1991) era de que o Golfo estava em paz, enquanto a coligação tentava contrariar a agressão iraquiana sem violência e debatia, ao ralenti e a sangue frio, se devia ou não dar início à guerra. Foi no contexto deste debate que se levantou a questão do "último recurso".

Se o exército do Koweit, contra todas as probabilidades, tivesse conseguido deter os invasores durante algumas semanas ou meses, a questão nunca se teria posto. A guerra teria sido o primeiro recurso do Koweit, o que seria aceitável, considerando a rapidez e a violência da invasão, e qualquer estado aliado ou amigo poderia ter acorrido em sua defesa, com toda a legitimidade. O fracasso da resistência abriu uma espécie de hiato temporal e moral, durante o qual foi possível procurar resoluções alternativas ao conflito. O bloqueio foi apenas uma de muitas alternativas que incluíram a condenação do Iraque pelas Nações Unidas, o seu isolamento político e diplomático, vários graus de sanções económicas e uma resolução negociada, que envolveu concessões, maiores ou menores, ao agressor. O bloqueio real poderia ter assumido formas diferentes, adaptadas aos diferentes objectivos; o objectivo da coligação poderia ter sido, por exemplo, refrear, e não inverter, a agressão iraquiana.

Penso que era moralmente obrigatório analisar estas possibilidades e ponderar as suas consequências prováveis. Mas é difícil ver como poderia ter sido obrigatório adoptar uma delas, ou uma sequência, só para que a guerra fosse um "último recurso". Se os aliados, ao ponderarem as consequências das alternativas, uma das quais era uma ocupação contínua do Koweit, tivessem decidido apresentar rapidamente (em Setembro, por exemplo) um ultimato — ou retiram ou haverá um contra-ataque —, a decisão não teria sido injusta. Teriam que ter conseguido um prazo correcto para que a retirada fosse considerada e negociadas as suas modalidades, e nós quereríamos garantias de que havia boas razões para pensar que as outras estratégias não funcionariam ou funcionariam apenas com grandes custos para o povo do Koweit. Tendo em conta o prazo e as razões, a doutrina do "último recurso" não parece desempenhar aqui um papel relevante.

Literalmente considerado, que foi exactamente como muita gente o considerou durante os meses do bloqueio, "o último recurso" tornaria a guerra moralmente impossível. Porque nunca se pode chegar ao ponto último, nem podemos saber que já lá chegámos. Há sempre mais qualquer coisa a fazer: mais uma nota diplomática, mais uma resolução das Nações Unidas, mais uma reunião. Quando existe uma coisa do tipo bloqueio, é sempre possível aguardar um pouco mais e esperar que a não-violência (aquilo que parece ser não-violência, mas não o é exactamente) resulte. Partindo, porém, do princípio que a guerra se justifica logo desde o início, no momento da invasão, então ela justifica-se também em *qualquer* ponto subsequente, quando os seus custos e benefícios parecem mais equilibrados do que os das outras alternativas possíveis.

Mas o envio de tropas para combate acarreta normalmente tantos custos não previstos que acabou por se transformar num limiar moral: os dirigentes políticos só com grande relutância e ansiedade podem cruzar este limiar. É esta a verdade contida no princípio do "último recurso". Havendo meios efectivos para evitar o verdadeiro combate, sem contudo deixar de fazer frente ao agressor, esses meios devem ser tentados. Nos meses que durou o hiato da crise do Golfo, parece-me que houve tentativas para utilizar esses meios. A combinação do bloqueio económico, da ameaça militar e do prazo final diplomático foi uma estratégia plausivelmente construída para obrigar à retirada iraquiana. É normal que a política e a guerra funcionem com calendários deste tipo. O nosso bloqueio do Iraque não foi um cerco convencional que se manteria até que a fome das massas obrigasse Saddam Hussein a render-se. Estávamos decididos, como já disse (e a tal deveríamos comprometer-nos), a deixar entrar comida e medicamentos antes do povo começar a morrer nas ruas — embora muita gente tivesse vindo a morrer de qualquer forma, por causa dos efeitos de longo prazo da má nutrição e da doença. O bloqueio visava, sobretudo, a capacidade industrial militar iraquiana. Mas Saddam poderia ter deixado esgotar-se essa capacidade durante meses, ou mesmo anos, desde que tivesse a certeza de que não seria atacado. Por isso, a eficácia do bloqueio dependia de uma ameaça de guerra credível e essa ameaça, uma vez lançada, não podia aguentar-se indefinidamente. Haveria de chegar um momento em que os iraquianos tinham de ceder ou a coligação de lutar. Se eles não cedessem e a coligação não combatesse, a vitória seria deles: a agressão triunfaria. A maioria dos observadores idóneos, aplicando uma ou outra versão da teoria da decisão racional, esperava que o Iraque cedesse antes do prazo limite de 15 de Janeiro. Quando tal não aconteceu, a guerra tornou-se, embora não um "último" recurso, pelo menos, e certamente, um recurso legítimo.

Mas neste ponto entra em jogo o princípio da proporcionalidade e o argumento é que a guerra nunca pode ser legítima em condições modernas, porque os seus custos serão sempre maiores do que os seus benefícios. É certo que queremos que os dirigentes políticos e os militares se preocupem com a questão dos custos e benefícios. Mas têm mesmo de se *preocupar*; não podem limitar-se a calcular, porque os valores em jogo não são mensuráveis nem comparáveis — pelo menos não podem ser expressos nem comparados de forma matemática, como sugere a ideia da proporção. Como é que se mede o valor da independência de um país, comparado com o valor das vidas que se podem perder a defendê-lo? Como é que estimamos o valor da derrota de um regime agressivo (a invasão do Koweit não foi a primeira, nem, provavelmente, a última das agressões iraquianas) ou o valor da dissuasão de outros regimes semelhantes? Todos os valores deste último tipo perderão, provavelmente, quando comparados à contagem dos corpos, já que só os corpos podem ser contados. E, aí, é impossível qualquer guerra, excepto aquela que promete não causar derramamento de sangue, e não apenas de um dos lados. Esta última posição é totalmente respeitável — pacifismo, não guerra justa — mas quem quer que a defenda terá de reconhecer e aceitar os resultados não pacíficos que decorrem de tentar viver com estados como o Iraque de Saddam Hussein.

Ao mesmo tempo, nenhum dirigente político no seu perfeito juízo optaria por uma guerra que causasse milhões ou centenas de milhar de mortos, ou que ameaçasse o mundo de destruição nuclear, por amor da independência do Koweit. É esta a verdade do princípio da proporcionalidade. Mas é uma verdade grosseira e, embora possa funcionar em casos como o da invasão da Checoslováquia, em 1968, pela União Soviética (ninguém propôs que os Estados Unidos se mobilizassem para uma resposta militar), não terá grande efeito na maioria dos casos. É raro podermos fazer previsões mais do que a curto prazo e não temos qualquer meio que se pareça, nem de perto nem de longe, com a matemática para comparar os custos de combater com os custos de não combater, dado que uma das séries de custos é necessariamente especulativa, enquanto a outra ocorre, eventualmente, ao longo de um período de tempo indeterminado. Se nos limitarmos a insistir previamente que, considerando as armas actualmente disponíveis, a guerra produzirá de certeza perdas catastróficas, o princípio da proporcionalidade eliminará a hipótese da guerra num ou noutro caso: mas esta premissa é falsa.

Em vez disso, temos de nos informar sobre quais as armas que serão provavelmente utilizadas, como serão utilizadas e com que objectivos. Sobre todas estas questões a teoria da guerra justa tem muito a dizer, e aquilo que tem a dizer é importante e restritivo. Já no que toca à resistência contra uma agressão, a teoria é no mínimo permissiva, por vezes imperativa. A agressão não é apenas um crime contra as regras formais da sociedade internacional; é também, o que é mais importante, um assalto a um povo, uma ameaça à sua vida diária e, até, à sua sobrevivência física. Por isso *é necessário resistir* a certos actos de agressão como a invasão iraquiana — não necessariamente por meios militares mas por algum meio. Embora os meios militares possam ser descartados, na prática, num ou noutro caso (porque provavelmente não serão eficazes ou porque são assustadoramente perigosos), nunca podem ser desprezados por princípio. É o nosso horror da agressão que comanda aqui, enquanto os princípios do "último recurso" e da proporcionalidade desempenham papéis meramente marginais e incertos.

As guerras justas são guerras limitadas; a guerra rege-se por uma série de regras destinadas a barrar, na medida do possível, o recurso à violência e à coerção contra populações não combatentes. O "governo" dessas regras, dado que não tem um apoio do poder político ou dos tribunais de justiça, é, em grande medida, ineficaz — mas não totalmente. E mesmo quando as regras não conseguem modelar a condução *desta* guerra, conseguem muitas vezes formar os juízos públicos sobre os comportamentos e assim ditar talvez o treino, o compromisso e o comportamento futuro dos soldados. Se a guerra é uma extensão da política, então a cultura militar é uma extensão da cultura política. O debate e a crítica desempenham um papel importante, se não determinante, na definição do conteúdo destas duas culturas.

Há duas formas de limite que são aqui cruciais e ambas tiveram um grande papel na defesa política e, depois, na crítica da guerra do Golfo. A primeira tem a ver com os objectivos da guerra e os fins pelos quais se combate. A teoria da guerra justa, tal como é normalmente entendida, procura restabelecer o *status quo ante* — o modo como as coisas eram antes da agressão — com apenas uma condição adicional: que a ameaça constituída pelo estado agressor nas semanas ou nos meses antes do ataque não fique incluída nesse "restabelecimento". Daí a guerra visar, legitimamente, a destruição ou a derrota, a desmobilização e o desarmamento (parcial) das forças armadas agressoras. Excepto em casos extremos, como o da Alemanha nazi, não visa legitimamente a transformação da política interna do estado agressor ou a substituição do seu regime. Porque este último tipo de objectivos exigiria uma ocupação prolongada e a coerção maciça dos civis. Mais do que isso: exigiria uma usurpação da soberania que é exactamente aquilo que estamos a condenar quando condenamos a agressão.

No caso iraquiano, a aceitação deste limite pela coligação abriu caminho, depois do cessar-fogo, a uma guerra civil sangrenta, cujas baixas civis podem ultrapassar largamente as da própria guerra. O princípio da proporcionalidade teria provavelmente ditado uma marcha rápida e, do ponto de vista militar, pouco onerosa, sobre Bagdad. Em contrapartida, as guerras limitadas regem-se pela doutrina da não-intervenção, que defende que as alterações dos regimes têm de ser obra dos homens e mulheres que vivem sob esses regimes — e que também suportam os custos da mudança e os perigos do insucesso. A não-intervenção só cede lugar à proporcionalidade em caso de massacre ou de fome e de epidemias induzidas politicamente, quando os custos são insuportáveis. Nessa altura justifica-se a nossa acção, ou, dito de um modo mais forte, temos obrigação de agir (como os vietnamitas no Camboja de Pol Pot ou os tanzanianos no Uganda de Idi Amin ou os indianos naquilo que era então o Paquistão oriental) sem ter em consideração a ideia da soberania. Pode parecer duro dizer, primeiro, que não devíamos ter intervindo para garantir que o lado "bom" vencia a guerra civil iraquiana e, segundo, que deveríamos ter intervindo muito mais rapidamente do que o fizemos para salvar as vítimas da derrota. Mas a história das intervenções políticas, diferentes como são das humanitárias, sugere que há boas razões para estabelecer esta distinção.

O mesmo argumento restauracionista aplica-se mais obviamente ao estado vítima, o qual provavelmente também não é — tal como o agressor — um bastião de doçura e de claridade (pense-se no império da Etiópia de Hailé Selassie invadido pelos fascistas italianos). O regime do Koweit era melhor do que o do Iraque, mas não há muita gente no mundo que tivesse acorrido em sua defesa, mesmo na imprensa, se o problema tivesse sido um golpe de estado palaciano: uma revolta popular teria sido saudada quase por toda a parte com entusiasmo. Apesar disso, o objectivo da guerra foi, nem mais nem menos, restaurar o regime, o despotismo semi-feudal da família Al-Sabah. O que aconteceu depois foi (e é) assunto privado dos próprios koweitianos, livres da coerção de exércitos estrangeiros. É evidente que não estão livres da pressão diplomática nem da vigilância ou das agitações sociais, no que toca aos direitos humanos.

Mas a inversão da agressão e a destituição do poder militar iraquiano não foram os únicos objectivos da coligação — ou, pelo menos, não foram os únicos objectivos dos Estados Unidos no seu papel de organizador e líder da coligação. O nosso governo visava também uma "nova ordem mundial" em que, presumivelmente, o seu papel de dirigente se manteria. Uma crítica habitual da guerra dizia que os Estados Unidos tinham motivações "imperialistas": a ordem mundial escondia um desejo de influência e poder no Golfo, uma presença estratégica e o controlo do petróleo. Penso que este tipo de motivos desempenhou um papel importante na tomada de decisões americana: até as guerras justas têm razões tanto políticas quanto morais — e assim será, penso eu, até chegar a era messiânica em que a justiça será aplicada por amor da justiça. Uma motivação absolutamente singular, uma vontade pura, é uma ilusão política. Acontece o mesmo a nível nacional quando partimos do princípio de que os partidos e os movimentos que lutam pelos direitos civis ou pelas reformas sociais o fazem porque os seus membros têm alguns valores *mas também* porque têm certas ambições — por exemplo, de poder e de benesses políticas. Como não estão a matar outras pessoas, esse caso é mais facilmente aceite. Mas os motivos mistos também são normais na política internacional e, em tempo de guerra, só são perturbadores quando levam à expansão ou ao prolongamento dos combates para além dos seus limites justificáveis ou quando distorcem a condução da guerra.

É perfeitamente possível, assim, apoiar uma guerra dentro dos seus limites justificáveis e opormo-nos às razões aduzidas por este ou aquele governo para a travar. Pode-se desejar a derrota da agressão iraquiana e criticar ao mesmo tempo o carácter que assumiria provavelmente a "nova ordem mundial". Contudo, o mais importante é insistir que, com ou sem nova ordem, a guerra permaneça uma guerra limitada.

O segundo limite tem a ver com a condução da guerra — o embate quotidiano dos exércitos. O princípio orientador neste caso diz simplesmente que se devem fazer todos os esforços para proteger a vida dos civis, tanto dos ataques directos como dos "danos colaterais". Para analisarmos o modo como este princípio se aplicou na guerra do Golfo é melhor olhar para o contexto da campanha aérea contra o Iraque, já que a guerra no solo, em ambientes desérticos, tende a aproximar-se, sem esforço aparente, do paradigma da guerra justa, de um combate entre combatentes (mantem-se porém a questão de saber quando e como se deve pôr fim a tal combate). A resposta da coligação militar à invasão iraquiana do Koweit começou com um ataque aéreo e a guerra foi travada quase exclusivamente com aviões e mísseis, durante cerca de cinco semanas. A guerra aérea foi descrita, pelos oficiais americanos em conferências de imprensa e sessões de informação, numa linguagem que combinava o calão tecnológico e a teoria da guerra justa. Era, diziam-nos, uma campanha dirigida unicamente a alvos militares, com uma precisão sem precedentes. As bombas eram "inteligentes" e os pilotos tinham consciência moral.

Este esforço para limitar as baixas civis estava integrado em ordens perfeitamente definidas. Os pilotos tinham instruções para regressarem à base com as bombas e os mísseis intactos sempre que não lhes fosse possível obter uma "visão" clara dos alvos previstos. Não deviam largar as bombas na proximidade dos alvos; nem tinham liberdade para visar "alvos de oportunidade" (excepto em zonas de batalha específicas). Nos seus voos de bombardeamento, tinham de aceitar correr riscos próprios a fim de reduzir o risco de causar "danos colaterais" aos civis. Era isso que nos diziam e presume-se que era isso que diziam aos pilotos. Os primeiros estudos sobre os bombardeamentos, depois da guerra, sugerem que frequentemente essas ordens não eram cumpridas — normalmente as bombas eram largadas a altitudes demasiado elevadas para permitir visar convenientemente. Mas a política, se é que era essa a verdadeira política, era a correcta. E, de facto, ao que parece, as baixas civis foram em número bastante reduzido: neste sentido, pelo menos, a guerra aérea não tinha precedentes.

O caso é bastante diferente se analisarmos agora os alvos designados por essa política. A coligação decidiu (ou decidiram os comandantes americanos) que a infra-estrutura económica da sociedade iraquiana era — toda ela — um alvo militar legítimo: os sistemas de comunicação e de transporte, as redes de distribuição de energia eléctrica, qualquer edifício governamental, as estações de captação de água e as centrais de depuração. E, aqui, já existiam precedentes; os bombardeamentos estratégicos na Segunda Grande Guerra seguiram a mesma orientação, embora eu não acredite que então tivesse havido um esforço sistemático de privar o povo alemão ou japonês de água potável; talvez na década de 1940 isso não fosse tecnicamente possível. É fácil justificar a escolha de infra-estruturas como alvos — um exemplo óbvio: as pontes sobre as quais passam os transportes que levam mantimentos aos exércitos no terreno. Mas a energia eléctrica e a água — a água muito claramente — são muito semelhantes aos alimentos: são necessárias à sobrevivência e à actividade quotidiana dos soldados mas também são necessárias a todas as pessoas. Um ataque destes é um ataque à sociedade civil. Neste caso, são os efeitos sobre os militares, se os houver, que são "colaterais". O efeito directo da destruição das centrais de depuração de água, por exemplo, impõe aos civis das áreas urbanas (e o Iraque é uma sociedade altamente urbanizada) o risco de doenças em proporções epidémicas. Os ataques deste tipo sugerem um objectivo da guerra que ultrapassa o objectivo legítimo da "restauração mais" — a libertação do Koweit e a derrota e redução do poder militar iraquiano. O objectivo complementar, embora nunca reconhecido, era presumivelmente derrubar o regime do partido Baas que seria alegadamente incapaz não só de defender as suas conquistas externas mas também de proteger o seu próprio povo. Só que este objectivo é injusto e injustos são também os meios para o alcançar.

De facto, mesmo que tivéssemos razão em derrubar o regime, esta cruel estratégia de dissimulação — destruir a sociedade iraquiana a fim de provocar uma revolta dos seus membros — impedir-nos-ia de prosseguir. Mais valia marchar sobre Bagdad. Um dissidente iraquiano no exílio, escrevendo logo a seguir à guerra, argumentava que, dado que nós tínhamos destruído a sociedade iraquiana, éramos agora obrigados a marchar sobre Bagdad e a instalar um governo democrático capaz de organizar a sua reconstrução. Não duvido que haja obrigações importantes que resultam de actos iníquos durante as guerras. O problema, neste exemplo particular, é a terrível presunção do empreendimento. De qualquer forma, o êxito desta incursão era improvável e os custos humanos seriam possivelmente muito elevados.

Há outros aspectos da condução da guerra que suscitam críticas e que foram criticados, nomeadamente a utilização de uma nova arma assustadora, o explosivo *fuel-air*, contra soldados iraquianos, e os ataques aéreos, nos últimos dias dos combates, sobre aquilo que aparentemente não era apenas um exército em retirada mas um exército que retirava, desorganizado e em debandada. A teoria da guerra justa, tal como eu a compreendo, não abrange facilmente casos deste tipo, em que são apenas os soldados que sofrem o ataque. Os soldados que fogem, ao contrário dos soldados que tentam render-se, são normalmente considerados alvos legítimos: é provável que pensem poder combater nalguma outra ocasião. Neste caso, os soldados iraquianos que conseguiram fugir combateram, de facto, numa outra ocasião — contra os seus compatriotas rebeldes. Aqui está outra questão complicada para os teóricos da proporcionalidade: deveríamos ter abatido os soldados iraquianos que retiravam, a fim de impedir a possível matança de rebeldes iraquianos? Os argumentos normais da guerra justa opor-se-iam provavelmente ao bombardeamento da massa caótica que fugia do Koweit, precisamente porque o exército em retirada não constituía nenhuma ameaça, *excepto* para o seu próprio povo.

Mas este último ponto não se aproxima totalmente do incómodo que experimentamos com o espectáculo das últimas horas da guerra ou do alívio que sentimos quando o presidente Bush — demasiado cedo, na opinião dos seus generais — mandou pôr fim à matança. A moral não é só feita de justiça. É possível levantar objecções a que se mate na guerra, mesmo na guerra justa, sempre que as coisas se tornam demasiado fáceis. O "tiro aos pombos" não é um combate entre combatentes. Quando o mundo se divide radicalmente entre aqueles que bombardeiam e aqueles que são bombardeados, as coisas tornam-se problemáticas do ponto vista moral, mesmo quando os bombardeamentos se justificam, num ou noutro caso.

Continua a ser possível defender alguns actos de guerra e condenar outros inequivocamente. E os dirigentes políticos e militares não podem escapar a prestar contas, alegando que os actos condenáveis foram de certo modo causados pela própria guerra e que se tornaram inevitáveis mal os combates começaram. Na realidade, era necessária uma decisão independente e distinta, tomada por estrategas militares sentados à volta de uma mesa a discutir o que se deveria fazer — seguida por uma outra decisão, tomada por políticos sentados à volta de uma outra mesa a discutir as recomendações dos estrategas. É muito fácil imaginar a guerra do Golfo sem o ataque às infra-estruturas. Podemos dizer que o valor da teoria da guerra justa é tornar obrigatórias essas imaginações.

7. Kosovo (1999)

No momento em que escrevo, o bombardeamento da Jugoslávia continua, e continua também a destruição da sociedade kosovar pela Sérvia. Sim, a campanha sérvia foi necessariamente planeada antes do bombardeamento começar; a logística de deslocar 40.000 soldados é imensamente complexa. Nalguns locais do Kosovo, as duras realidades da limpeza étnica já eram visíveis antes de ter sido tomada a decisão de atacar os sérvios com mísseis e bombas inteligentes e, tendo em conta o que acontecera com os sérvios na Bósnia, com a mobilização dos soldados nas fronteiras do Kosovo e com os refugiados já em fuga, a intervenção militar parece-me inteiramente justificada, obrigatória até. Mas o esvaziamento brutal do Kosovo nas semanas que se seguiram ainda é, de certo modo, uma resposta à campanha aérea na NATO, e a velocidade com que se desenrolou é indubitavelmente uma resposta — um esforço para criar factos no terreno antes (como, ao que parece, Milosevic acredita) dos bombardeamentos pararem e de recomeçarem as negociações. A limpeza étnica é perfeitamente consistente com a campanha aérea e é, em parte, consequência dela.

Não sei quais eram as expectativas dos comandantes da NATO em Março passado; os cidadãos vulgares dos Estados Unidos e da Europa foram levados a crer que os bombardeamentos resolveriam rapidamente o problema. Mais uma vez se verifica que a nossa fé no poderio aéreo é uma espécie de idolatria — glorificamos o poder das nossas próprias invenções. A verdade, porém, permanece tal qual era antes dessas invenções: soldados com espingardas que vão de casa em casa, numa aldeia de montanha, não podem ser detidos por bombas inteligentes. Só podem ser detidos por outros soldados com armas.

Mas os países envolvidos na intervenção da NATO comprometeram-se, pelo menos para já, a não enviar para o terreno soldados armados. A promessa não foi evidentemente feita a Milosevic, mas sim aos cidadãos de todos os países da NATO: não enviaremos os vossos filhos para o combate. Esta promessa foi provavelmente um requisito prévio da intervenção de ordem política e só depois de um mês e tal de bombardeamentos sem conseguir vencer os sérvios é que os dirigentes políticos estão a tentar livrar-se dessa promessa. Comprometemo-nos, moral e politicamente, a fornecer aos kosovares uma solução tecnológica, e se esta não funcionasse, ou não funcionasse com a rapidez suficiente, estávamos prontos (na verdade, como se veio a verificar, não estávamos tão prontos quanto isso) a fornecer-lhes alimentos, abrigo e apoio médico. Mais do que isso, dissemos nós, não podemos fazer. Mas aqui há algo de errado, porque nenhuma dessas formas de ajuda é ajuda suficiente. Não cumpre objectivos, nem de ordem política, nem de ordem moral.

Talvez os bombardeamentos acabem por derrotar Milosevic; talvez a NATO acabe por resolver mandar tropas para o terreno. Mas a forma inicial da intervenção levanta uma questão complicada. Estarão os países com exércitos — cujos soldados não podem ser colocados em risco — qualificados para intervir, do ponto de vista moral ou político? Mesmo com uma causa justa e a melhor das intenções, como poderemos nós recorrer à força militar num país que não é o nosso se não estivermos preparados para lidar com as consequências não programadas das nossas acções? Suponho que se, em Fevereiro ou em Março, estivéssemos visivelmente prontos a ir para o Kosovo, para o terreno, a limpeza étnica em larga escala poderia ter sido evitada. Mas isso é demasiado fácil. A dissuasão só é efectiva se a ameaça for plausível e, de momento, não é muito claro que alguma das democracias ocidentais apresente uma ameaça plausível.

Temos exércitos que não podem ser utilizados, ou que não podem ser utilizados com facilidade. Existem boas razões democráticas, e até razões igualitárias, que o justificam. É evidente que a segurança nacional dos EUA não está em jogo no Kosovo (o mesmo acontece com a segurança de qualquer uma das nações europeias, mas estou agora a centrar-me nos Estados Unidos) e, assim, não é possível mobilizar os cidadãos para a defesa das suas casas e das suas famílias. Noutros países, em tempos antigos, as guerras em lugares distantes eram travadas por soldados rasos e oficiais de baixa patente ou por mercenários, gente sem influência política. Mas embora os Estados Unidos continuem a ser, e até mesmo de forma crescente, uma sociedade de desigualdades, não há nenhuma mãe nem nenhum pai de soldado que não tenha influência política. Isto é uma vantagem para os americanos, pois os nossos dirigentes políticos não podem enviar soldados para o combate sem convencerem o país de que a guerra é moral ou politicamente necessária, e que a vitória exige, e vale, vidas americanas. Mas há uma via mais fácil que estes dirigentes podem seguir. Podem travar uma guerra sem usar os exércitos e, assim, sem terem de convencer o país da necessidade da guerra. Uma via mais fácil que conduz, porém, a uma anomalia moral: surge aqui uma desigualdade nova e perigosa.

Estamos dispostos, ao que parece, a matar soldados sérvios; estamos dispostos a correr o risco daquilo a que se chama, eufemisticamente, "danos colaterais", causados aos civis sérvios e também kosovares. Mas não estamos dispostos a enviar para a guerra soldados americanos. Ora bem, eu não tenho grande amor à guerra e aceito perfeitamente que os dirigentes democraticamente eleitos têm a obrigação de salvaguardar as vidas dos seus cidadãos, de todos eles. Mas esta não é uma posição moral possível. *[Tu] Não matarás, a menos que [tu] estejas disposto a morrer.* Esta é, sem dúvida, uma frase difícil — sobretudo porque os pronomes não têm a mesma referência (como tinham quando Albert Camus usou, pela primeira vez, este argumento, ao escrever sobre assassinato): o primeiro "tu" refere-se aos dirigentes da NATO, o segundo aos filhos dos cidadãos vulgares. Seja como for, estes dirigentes políticos não podem lançar uma campanha que visa matar soldados sérvios e que certamente matará também outras pessoas, a menos que estejam dispostos a pôr em risco as vidas dos seus soldados. Podem tentar, devem tentar fazer todos os possíveis para reduzir estes riscos. Mas não podem invocar (e nós não podemos aceitar) que estas vidas são descartáveis e aquelas não o são.

Se um edifício estiver a arder e tiver pessoas no seu interior, os bombeiros têm de arriscar a vida para as ir salvar. É essa a função dos bombeiros. Mas este não é o nosso edifício; estas pessoas não são nossas. Porque deveríamos, então, mandar para lá os nossos bombeiros? Os americanos não podem ser os bombeiros do mundo.

Este argumento é conhecido e não deixa de ser plausível, mesmo quando, o que acontece muitas vezes, é proferido por pessoas que não são apologistas de apagar fogos, sejam eles de que espécie forem. Ouvi-o sobretudo a gente de esquerda (e não só na América) e é especialmente a essa gente que quero agora responder. De facto, Milosevic devia ter sido detido há muitos anos, quando começaram a chegar da Bósnia os primeiros relatos da limpeza étnica. E devia ter sido detido pelas potências europeias. Os Balcãs são uma confusão europeia. A Áustria-Hungria criou aí um império. A Alemanha travou uma guerra na Jugoslávia; os italianos invadiram a Albânia; os britânicos armaram os seguidores de Tito. Existe uma longa história de intervenções militares e de intrigas diplomáticas. Mas, hoje em dia, a Europa só existe como força militar em aliança com os Estados Unidos. Esta verdade não é eterna e as pessoas que acreditam no pluralismo internacional e no equilíbrio do poder podem esperar pelo advento de uma União Europeia independente, dotada de um exército que ela própria pode pôr em acção. Mas, para já, é verdade que não é possível uma intervenção no Kosovo sem um forte envolvimento americano. Se quisermos deter Milosevic podemos discutir a forma de o fazer; mas não se pode discutir quem pode fazê-lo.

Isto não nos transforma nos bombeiros do mundo. Foram os vietnamitas que detiveram Pol Pot no Camboja, os tanzanianos que detiveram Idi Amin no Uganda, os indianos que puseram fim à matança no Paquistão Oriental, os nigerianos que foram para a Libéria. Alguns destes actos militares foram unilaterais, outros (a intervenção da Nigéria, por exemplo, e agora a campanha no Kosovo) foram autorizados por alianças regionais. Muita gente de esquerda suspira por um mundo onde a ONU, e apenas a ONU, pudesse agir em casos destes. Mas, tendo em conta a estrutura oligárquica do Conselho de Segurança, não é possível contar com este tipo de acção: na maioria dos casos que constam da minha lista, a intervenção das Nações Unidas seria vetada por algum dos oligarcas. E também não estou convencido de que o mundo melhoraria se tivesse apenas um agente de salvamento internacional. Os homens e as mulheres que se encontram no prédio em chamas ficarão provavelmente mais bem servidos se puderem recorrer a mais do que um corpo de bombeiros.

Mas aqui o que é mais importante para o futuro da esquerda é que o nosso povo, os nossos activistas e os nossos apoiantes no mundo inteiro vejam os incêndios como aquilo que eles são: deliberadamente ateados, obra de incendiários, concebidos para matar, terrivelmente perigosos. É evidente que cada incêndio tem um pano de fundo complicado, do ponto de vista social, político e económico. Seria bom se os compreendêssemos todos. Mas, quando o fogo começa, não é necessária uma compreensão total: o que é necessário é a vontade de apagar o fogo — encontrar bombeiros, se possível na vizinhança, e dar-lhes o apoio de que necessitam. De uma perspectiva moral/política, não penso que tenha muita importância que um determinado fogo não seja perigoso para mim e para os meus. O que não posso é ficar de braços cruzados, a olhar. Ou melhor, o preço de ficar a olhar de braços cruzados é uma espécie de corrupção moral a que a gente de esquerda (e não só) tem sempre a obrigação de resistir.

8. A *Intifada* e a Linha Verde (1988)

Em Jerusalém, em Junho, uma comerciante da rua Ben Yehuda, na parte ocidental da cidade, queixou-se, conversando comigo, do colapso do turismo, das lojas e dos hotéis vazios. Censurava os meios de comunicação por mostrarem tantas imagens de palestinianos a atirar pedras e de soldados israelitas com bastões e gás lacrimogéneo. As fotografias davam uma impressão falsa: "Veja só", disse ela, apontando para a rua, "como está tudo sossegado". É verdade que a rua Ben Yehuda estava sossegada, bonita, e os únicos ruídos que se ouviam eram as conversas de café. Toda a parte ocidental da cidade estava sossegada e bonita; todo o país, se se concebesse o país de uma determinada maneira, estava tranquilo. Todos os problemas se situavam do outro lado de... de quê? O outro lado da Linha Verde era, de repente, o outro lado do mundo. Durante anos, o governo de Israel declarara que a Linha Verde (a fronteira de Israel antes da Guerra dos Seis Dias) não existia. Apagada do mapa, fora também apagada da paisagem, de tal forma que mesmo os israelitas adultos que tinham vivido na época da Linha, de 1948 até 1967, tinham dificuldades em visualizar exactamente onde ela se situara. Mas agora a *Intifada* (revolta) palestiniana restabeleceu a Linha, tanto no solo como na mente. É à Linha que as pessoas se referem quando dizem que o problema está "do outro lado".

O restabelecimento da Linha Verde é o maior sucesso da *Intifada* e é também a primeira condição para um acordo entre Israel e os palestinianos. Hoje, a Linha não segue o mapa antigo. A sua localização exacta terá um dia de ser negociada, e as negociações serão indubitavelmente difíceis. Mas a localização *exacta* não é terrivelmente importante. O que é importante é que a Linha exista e que se saiba que ela existe. A prova da sua existência, por assim dizer, é o facto de os israelitas irem "ao outro lado" armados, ou com protecção armada, ou a convite da *Intifada*. Os palestinianos demonstraram que têm uma terra deles — o que significa que a ocupação, por muito tempo que dure, é apenas temporária. O governo de Yitzhak Shamir terá de fornecer a prova em contrário; a dureza da repressão destina-se a mostrar que Israel continua a controlar os territórios ocupados. E assim é maioritariamente, mas agora o controlo é exercido de uma maneira aberta e muito coerciva, totalmente diferente do controlo que o governo exerce sobre o território que é de facto seu, "deste lado" da Linha. A diferença entre a terra pátria e a outra terra, por muito que digam os ideólogos do Grande Israel, é fácil de constatar. Embora nem palestinianos nem israelitas estejam totalmente empenhados e comprometidos com ela, a divisão já começou.

Desde que o governo de Begin acelerou o ritmo da colonialização da Cisjordânia, os liberais e os esquerdistas israelitas têm sido perseguidos pelo fantasma da guerra comunitária: judeus e árabes indissociavelmente ligados, do ponto de vista geográfico, económico e político, não por confiança mútua mas por desconfiança e ódio, a aterrorizarem-se uns aos outros, indefinidamente. O modelo era a Irlanda do Norte ou o Líbano e já se conseguia ver a libanização de Israel naqueles terríveis funerais em que todos os oradores clamavam vingança (o hebreu e o árabe têm um som muito semelhante nessas ocasiões) multiplicada por dez ou por cem. Cada morte era uma nova provocação. Mas a *Intifada,* apesar de já ter havido funerais que cheguem, não é uma guerra comunitária — pelo menos não é, em nada, semelhante à Irlanda ou ao Líbano. Porque, nesses países, os "guerreiros" são indivíduos ou bandos cuja "guerra" consiste em assassinato, rapto, assalto à mão armada, explosões de viaturas, etc.; as comunidades que se guerreiam são, em si mesmas, passivas, desorganizadas, vitimizadas. Em contrapartida, a *Intifada* tem o apoio de uma mobilização genuinamente *nacional,* e assim pode pregar a promessa (finalmente) de uma nova Nação. Aquilo que os terroristas da

OLP não conseguiram em mais de vinte anos, conseguiram-no em oito meses adolescentes armados de fisgas. Conseguiram pôr a Palestina no mapa moral, ao lado de Israel.

Não quero romantizar a *Intifada*. Como qualquer violência política, também ela tem a marca da sua própria coerção, da sua própria brutalidade e fanatismo. Mas, tal como o próprio Yitzhak Rabin reconheceu, o seu carácter não é terrorista. Os jovens que cumprem o trabalho diário da rebelião não são um grupo organizado de assassinos com treino especial. São os filhos de toda a gente e têm o apoio de um movimento popular em larga escala e de uma rede extraordinária de comités locais. O problema com o movimento e com as suas redes é que ainda não criaram uma política externa. Só falam com Israel com pedras, não com palavras, não com argumentos, nem com propostas ou visões para o futuro. É por isso que a restauração da Linha Verde não é ainda um dado adquirido; tem de ser confirmada em negociação — e de ambos os lados da Linha há resistência contra essa confirmação.

Portanto, a segunda condição para um acordo de paz é o reconhecimento mútuo, o reconhecimento, por cada um dos lados, da legitimidade moral do outro, quer dizer, do direito do outro *a ser nação*. Os dois reconhecimentos têm de ser simétricos, é verdade, mas ao mesmo tempo servem objectivos diferentes; têm significados diferentes e consequências práticas distintas para os judeus de Israel e os árabes da Palestina. Para dizer as coisas de uma forma simples, e sem dúvida crua, os judeus precisam do reconhecimento por causa da sua vulnerabilidade, os palestinianos por causa da sua humilhação. Aprendi, há muito tempo, a ser céptico em relação às psicologias nacionais e à psicanálise colectiva, por isso apresso-me a acrescentar que estas não são, de forma nenhuma, as necessidades de todos os judeus ou de todos os palestinianos. Mas são, apesar disso, moralmente óbvias e politicamente inevitáveis.

Para os palestinianos, os anos da ocupação foram anos de desgraça — tanto mais quanto, desde a ocupação até Dezembro último, tudo foi tão fácil para Israel. A maioria dos palestinianos dos territórios eram passivos, aparentemente incapazes de se auto-ajudarem, colaborando efectivamente na sua própria sujeição. A mobilização, que começou em Dezembro, encheu-os de orgulho, o que nunca nenhuma das "vitórias" terroristas conseguiu fazer. Na verdade, a *Intifada* é para os palestinianos aquilo que a travessia do canal de Suez foi, em 1973, para os egípcios, e é possível que os seus efeitos psicológicos sobrevivam, no primeiro e no segundo caso, a uma derrota militar ou à repressão. Aqui reside uma base possível de um compromisso político. Mas o compromisso terá de integrar e de institucionalizar o novo orgulho palestiniano. É isto que está subjacente ao pedido de auto-determinação e que lhe confere um sentido. Os terroristas não podem exigir o direito à auto-determinação; um movimento popular pode fazê-lo e os palestinianos têm, finalmente, um movimento popular.

Como funcionaria a auto-determinação e qual seria o seu resultado, são coisas tão incertas como qualquer outra. A *Intifada* não resolve nada; continua a ser possível imaginar todo um leque de estratégias de negociação, uma variedade de representantes, um número de "disposições" finais alternativas. Mas, neste momento, não pode haver uma resolução que seja inaceitável para os palestinianos da Cisjordânia e de Gaza. Provavelmente isto afastará a hipótese de qualquer acordo israelita com o rei Hussein, como o próprio rei parece ter reconhecido — embora o rei possa ainda reaparecer como parceiro dos palestinianos ou como garante de uma decisão final. Provavelmente será necessário chegar a acordo com a OLP, embora seja possível que a OLP negoceie através de representantes da Cisjordânia e de Gaza que, por assim dizer, seriam nomeados pelos comités locais.

Os israelitas falam do orgulho palestiniano com uma mistura de ansiedade e admiração. A resposta do Governo, porém, tem sido menos equívoca: tem tido como objectivo não só derrotar a rebelião mas obrigar os palestinianos a reconhecer a derrota — "apagar o sorriso da cara dos palestinianos", como consta que disse um representante governamental. A ansiedade e a admiração são respostas muito mais saudáveis: a ansiedade, porque o orgulho pode alimentar uma política extremista com a mesma facilidade com que pode servir de base a uma política moderada; a admiração, porque também a história de Israel, como normalmente é contada, é uma história de triunfo sobre a humilhação — o indefeso judeu do gueto transformado na confiante *sabra*. Os israelitas que têm mais ou menos a minha idade lembram-se de atirar pedras aos soldados britânicos. Esta é uma memória útil embora também algo perturbadora.

Por causa de memórias como esta, o reconhecimento que Israel exige não tem muito a ver com honra. Os israelitas já experimentaram as exaltações da disciplina e da auto-ajuda comunitária. Mas os cidadãos judeus de Israel têm outras memórias, memórias obsessivas de perseguição, exílio, guerra e morte. Quando o Primeiro Ministro Shamir diz, a propósito da *Intifada,* que esta é uma nova forma de guerra contra Israel, como se crianças armadas com fisgas constituíssem uma ameaça à própria existência do estado, está a dizer uma coisa absurda. Mas este absurdo tem uma larga aceitação — pois não é verdade que os árabes estão em guerra com Israel já há 40 anos, recusando-se sempre (sendo o Egipto a única excepção) a aceitar Israel como um estado? Do mesmo modo, o refrão recorrente da retórica política da ala direita "estão todos contra nós" é pura e simplesmente mentira. Mas também isto é largamente aceite porque tem o eco da experiência histórica do povo judeu. A façanha sionista — o estatuto de estado, o poder material, as alianças políticas e a posição no mundo — não é ainda totalmente apreciada pelos seus próprios protagonistas e beneficiários, embora seja indubitavelmente apreciada pelos palestinianos que querem desesperadamente imitá-la. Apesar de todo o seu poderio militar, os israelitas sentem-se terrivelmente vulneráveis. O que eles querem com o reconhecimento é a segurança.

Em termos materiais, a segurança significa fronteiras defensáveis, desmilitarização, estações de alerta electrónico, etc. O que se fez no Sinai é um precedente útil. Mas Israel exige algo mais, o que Sadat compreendeu muitíssimo bem (e que Arafat parece incapaz de compreender): exige reconhecimento público por parte dos árabes da sua necessidade de segurança e do seu direito a defender a sua soberania. Os diplomatas ocidentais apelaram à OLP para que esta reconhecesse a existência de Israel. Mas isto é demasiado fácil — também "existem" a peste e a guerra, e reconhecemos a sua existência precisamente para nos vermos livres delas, na medida do possível. A OLP tem de encontrar uma maneira de dizer que desistiu, finalmente e para sempre, da esperança de se ver livre de Israel. Este é o pano de fundo moral necessário a qualquer disposição de segurança. Sem ele, a maioria dos judeus de Israel não acreditará em nenhum acordo.

É hoje aparente que existem facções da OLP dispostas a fazer as declarações públicas necessárias; existem também outras facções que juraram guerra eterna. A OLP não é uma organização política coerente. Talvez se torne uma organização coerente apenas no decorrer de um processo de negociação, quando se vir forçada a tomar decisões práticas. Talvez a própria decisão de participar num processo de negociação imponha a Arafat uma versão própria de um "caso Altalena" (em que David Ben Gourion, em 1948, eliminou pela força o Irgun, de direita, dirigido por Menahem Begin). Seja como for, neste preciso momento não há uma liderança palestiniana capaz de fazer aquilo que Sadat fez em 1977. Nessa altura, as cerimónias de reconhecimento — a visita a Jerusalém, o discurso no Knesset — precederam as negociações formais; agora, se vierem a realizar-se, realizar-se-ão certamente depois.

Como se poderia, então, dar início às negociações? Sinto-me levado a pensar que não começarão sem o acordo de uma grande potência. A Rússia e os Estados Unidos podem ser uma espécie de substituto (embora meramente temporário) do reconhecimento mútuo de israelitas e palestinianos — o reconhecimento russo daria a Israel a sensação de que a sua soberania já não era contestada; o reconhecimento americano daria aos palestinianos a sensação de estarem a caminho da sua própria soberania. É esta a terceira condição de um acordo e exige muito mais cooperação diplomática entre as grandes potências — e capacidade e vivacidade no diálogo entre ambos os lados — do que aquela a que elas se têm mostrado dispostas até agora.

A ineficácia da diplomacia americana revelou-se em dois inci-
dentes recentes. Primeiro, a visita de Shamir a Washington, em
Março (que era já o quarto mês da *Intifada)*, onde sorriu e voltou a
sorrir, rejeitou todas as propostas americanas, escapou incólume —
e colheu, desta fuga, substanciais benefícios políticos. Segundo, a
chegada a Washington, em Junho (o sétimo mês), do "documento"
de Abu Sharif, que parecia reconhecer a legitimidade de Israel e até
talvez as suas necessidades de segurança — mas que nunca foi reconhecido por Arafat e que não tardou a ser denunciado pelo seu
braço direito. Foram estes, de ambos os lados, os jogos dos irrecon-
ciliáveis. É um sinal da potencial força de Washington o facto de os
jogos se terem centrado nessa cidade; o facto de os jogos estarem
ainda a decorrer é um sinal da incapacidade de Washington de usar
esta força de uma maneira eficaz. Suspeito que o poder americano
não pode ser usado de forma eficaz se não for partilhado, até certo
ponto, com os russos. Porque os Estados Unidos não poderão (e
nunca deverão) pressionar os israelitas ou iniciar as suas próprias
discussões com a OLP sem que os russos tenham manifestado que
estão dispostos a retirar o seu apoio àquelas forças que, no mundo
árabe, estão empenhadas na destruição de Israel.

Poderiam, então, começar as verdadeiras negociações. E a
quarta, e definitiva, condição para um acordo é um *longo* processo
de negociação. Devemos contar com um processo longo simplesmente porque o que está em jogo é muito importante e porque as
questões são muito complexas. Há que lembrar que, durante dois
anos, entre a visita de Sadat a Jerusalém e a assinatura de um tratado de paz egípcio-israelita, as negociações foram muitas vezes inter-
rompidas e retomadas — e é fácil comparar esse acordo com aquilo
que é ainda preciso fazer. Mas mesmo que se chegasse a um enten-
dimento rápido sobre as disposições finais necessárias, continuaria
a ser útil arrastar as conversações. Porque ambos os lados precisam
de tempo para se habituarem à ideia da paz e aos compromissos e
às perdas ideológicas que aquela acarreta.

Para os judeus, a paz significa o fim do Grande Israel e das
esperanças messiânicas que uma facção, pequena mas fervorosa,

de fanáticos nacionalistas e religiosos associa com "grandeza" territorial. Significa adaptarem-se aos constrangimentos, tanto físicos quanto mentais, de um país muito pequeno. Com o restabelecimento da Linha Verde, esta adaptação já começou, embora não tenha surgido ainda nenhum dirigente israelita que consiga vê-la a uma luz positiva. Não há dúvida de que a paz com os palestinianos seria uma grande vitória sionista porque representaria a criação definitiva do estado judeu. A questão é saber se seria sentida desta forma, e a resposta a esta questão exige um período de tempo durante o qual os israelitas vulgares possam pôr à prova os compromissos dos palestinianos em relação a um verdadeiro acordo.

Para os palestinianos, a paz significa a aceitação de uma Palestina ainda mais pequena (a menos que, de certo modo, se possa associar à Jordânia) do que o pequeno Israel. Isto será especialmente difícil para a diáspora palestiniana que, apesar da *Intifada*, continua a ser dominante no seio da OLP. Ainda não é claro que a liderança da OLP queira realmente um mini-estado constituído pela Cisjordânia e pela Faixa de Gaza: já falharam tantas oportunidades para atingir este objectivo que não podemos deixar de nos interrogar se eles não terão ainda outros objectivos em mente. Não haverá um momento determinado para que estes objectivos sejam de facto esquecidos, embora o decreto do divórcio de Hussein aproxime mais a altura em que os palestinianos terão que dizer exactamente aquilo que esperam ganhar. É provável que isto leve a lutas sangrentas e a renhidas discussões no seio da OLP, e oxalá essas lutas ocorram antes, e não depois, do acordo definitivo — para que seja, de facto, definitivo. Haverá um momento em que a derrota dos maximalistas terá de ter uma expressão pública e algum líder palestiniano terá de explicar ao seu povo porque é que se trata realmente de uma vitória. Talvez a única pessoa que o possa fazer seja alguém que já colaborou no sucesso do processo de negociação.

A política parece-se muitas vezes com isto: é durante muito tempo uma grande confusão, e a necessária claridade só é conseguida por causa dessa mesma confusão. Mas existirão, de facto, as condições para alcançar, dê por onde der, este objectivo? Não posso dizer que existam; a previsão mais segura para o futuro é sombria: estagnação, mais do que acordo, a *Intifada* controlada, mas não vencida, pela repressão. O reconhecimento mútuo, assim como a coexistência, são defendidos de forma explícita apenas por uma minoria de judeus israelitas e por um número ainda menor (e menos bem organizado) de árabes palestinianos. E o poder das grandes potências neste momento não funciona nem de forma inteligente nem cooperante. Só existe, de novo, a Linha Verde à espera de uma confirmação formal. Mas agora conseguimos perceber quais são as condições para um acordo. É importante nunca as perder de vista.

9. As quatro guerras entre Israel e a Palestina (2002)

Os grandes simplificadores estão a trabalhar intensamente mas Israel/Palestina nunca foi, para eles, um ambiente amigável, e hoje em dia é particularmente inamistoso. A sua compreensão dos factos será certamente errada, tanto moral como politicamente, o que é muito mau, porque aquilo que está em jogo é crucial. Não é uma guerra única a que se trava no Médio Oriente e não existe uma oposição única entre certo e errado, entre justo e injusto. Neste momento estão a decorrer quatro guerras israelo-palestinianas.

• A primeira é uma guerra palestiniana para destruir o Estado de Israel.
• A segunda é uma guerra palestiniana para criar um estado independente, ao lado de Israel, terminando com a ocupação da Cisjordânia e da Faixa de Gaza.
• A terceira é uma guerra israelita pela segurança de Israel dentro das fronteiras de 1967.
• A quarta é uma guerra israelita pelo Grande Israel, pelos colonatos e pelos territórios ocupados.

Não é fácil dizer qual a guerra que está a ser travada num determinado momento; de certo modo, as quatro são simultâneas. São também contínuas; as guerras continuam mesmo quando os combates cessam, como que a confirmar a definição de Thomas Hobbes: "Porque a guerra não consiste apenas na batalha nem no acto de lutar, mas sim num período de tempo durante o qual a vontade de travar uma luta armada é suficientemente conhecida..." No decorrer de todo o processo de paz de Oslo, alguns palestinianos e alguns israelitas estavam a travar a primeira e a quarta destas guerras — ou, pelo menos, empenhavam-se em travá-las (e a sua vontade de lutar era suficientemente conhecida, de tal forma que, nessa ocasião, algo poderia ter sido feito). A verdadeira decisão de recomeçar os combates foi tomada pelos palestinianos em Setembro de 2000; desde esta data, as quatro guerras têm estado a ser travadas activamente.

São pessoas diferentes as que combatem em cada uma das quatro guerras ao mesmo tempo, lado a lado, embora globalmente a ênfase seja diferente, conforme os diferentes momentos. A nossa avaliação moral e política tem de reflectir esta complexidade. Consideradas independentemente, duas das guerras são justas e duas são injustas. Mas não surgem independentemente aos olhos do "mundo real". Para fins analíticos, podemos começar por considerá-las uma a uma, mas não nos será possível ficar por aí.

1. *A guerra contra Israel*: esta é a guerra que é "declarada" sempre que um terrorista ataca civis israelitas. Penso que o terrorismo proclama sempre uma desvalorização radical das pessoas que são alvo de um assassinato aleatório: os protestantes irlandeses, nos tempos áureos do IRA, os europeus na Argélia, durante a campanha da independência da Frente de Libertação Nacional (FLN), os americanos, no 11 de Setembro. Digam os terroristas o que disserem individualmente acerca das suas actividades, a mensagem que emitem para o mundo e, sobretudo, para as suas vítimas, é radical e assustadora: uma política de massacre ou de eliminação ou de derrube e subjugação. O terrorismo não pode ser visto como a melhor estratégia de negociação; os seus objectivos reais são a vitória total, a rendição incondicional. A fuga de um milhão de europeus da Argélia foi exactamente o tipo de vitória que os terroristas pretendem (a FLN foi auxiliada neste projecto, lembremo-lo, por terroristas do lado europeu).

Os cidadãos judeus de Israel têm de assumir que aquilo que os terroristas palestinianos hoje buscam é algo de semelhante: pôr fim ao estado judeu, expulsar os judeus. A linguagem do incitamento — os sermões nas mesquitas palestinianas, os funerais em que o "martírio" dos bombistas suicidas é celebrado, as palavras de ordem gritadas em manifestações políticas, a celebração dos terroristas como heróis, nas escolas, pela Autoridade Palestiniana (AP) — torna clara esta intenção, que é o objectivo explícito das principais organizações terroristas, Hamas e Jihad islâmica. Mas poderá este ser considerado o objectivo do Movimento da Libertação da Palestina, globalmente falando? Será realmente isso que procura Yasser Arafat? Não é fácil interpretá-lo: pode ser que ele pense que se está a servir dos terroristas; pode até esperar que um dia os matará ou os exilará, como fez o governo argelino aos seus terroristas, após a independência. Mas é muito claro, seja quais forem as suas intenções finais, que, neste momento, ele é um apoiante ou, pelo menos, um cúmplice do terrorismo. As atitudes que toma para se distanciar, as prisões ocasionais e as condenações displicentemente pronunciadas depois de cada ataque, já há muito deixaram de ser convincentes; não pode ficar surpreendido se os israelitas vulgares se sentirem radicalmente ameaçados. Esta primeira guerra é uma verdadeira guerra, mesmo que neste momento pareça uma guerra que está a ser perdida, com consequências terríveis para o povo palestiniano, e mesmo que alguns (ou muitos) palestinianos acreditem que estão a travar uma guerra diferente.

2. *A guerra por um estado independente:* esta é a guerra que os simpatizantes esquerdistas, na Europa e na América, costumam dizer que os palestinianos estão a travar, porque pensam que esta seria a guerra que os palestinianos deveriam estar a travar. E alguns (ou muitos) estão, de facto, a fazê-lo. Os palestinianos precisam de um estado. Antes de 1967, precisavam de um estado que os protegesse do Egipto (em Gaza), e da Jordânia (na Cisjordânia). A partir de 1967, precisam de um estado que os proteja de Israel. Não tenho qualquer dúvida acerca disso, nem acerca do direito da Palestina ao estado de que necessita, embora creia que a ocupação original da Cisjordânia e de Gaza se justificava. Em 1967, os árabes estavam a travar uma guerra do tipo das que figura em primeiro lugar na minha lista, contra a mera existência de Israel.

Nesses dias não havia ocupação; a imprensa egípcia falava abertamente de "empurrar os judeus para o mar", mas os territórios que Israel controlava, no fim da sua defesa vitoriosa, destinavam-se supostamente a ser utilizados (era o que os dirigentes diziam na altura) como moedas de troca para uma paz futura. Quando, em vez disso, o governo patrocinou e apoiou os colonatos para lá da antiga fronteira (a Linha Verde), conferiu legitimidade a um movimento de resistência que visava a libertação. E, quanto mais se prolongava a ocupação, quanto mais os colonatos se expandiam e proliferavam, quanto mais terra era expropriada e os direitos à água sonegados, mais crescia o movimento e mais forte se tornava. Vale a pena recordar quão pacífica foi a ocupação nos seus primórdios, quão poucos soldados exigiu, quando se acreditava, de ambos os lados, que esta ocupação seria temporária (e quando a guerra número um tinha sido, decisivamente, derrotada). Passada uma década, o Primeiro Ministro Menahem Begin negou que houvesse algo de parecido com "territórios ocupados"; toda a terra era Terra de Israel; o governo adoptou a ideologia da conquista e da colonização. E a ocupação tornou-se muito mais onerosa, muito mais opressiva, quando a sua realidade foi negada do que quando era tratada pelo seu verdadeiro nome.

Assim, é inegavelmente um objectivo legítimo dos militantes palestinianos criarem o seu próprio estado, livre de Israel — assim como do Egipto e da Jordânia. A primeira *Intifada* (1987), com as crianças a lançarem pedras, parecia ser um combate por um estado deste tipo, limitado à Cisjordânia e à Faixa de Gaza, onde as crianças viviam. Não era exactamente um combate não-violento (embora, por vezes, pessoas que não estavam atentas assim o descrevessem), mas mostrava disciplina e grande alento e os seus protagonistas pareciam reconhecer limites à sua luta: estes combates não se destinavam a ameaçar os israelitas do outro lado da Linha Verde, onde vivia a maioria dos israelitas [ver capítulo anterior (8)]. E é por isso que conseguiu fazer com que o processo de paz avançasse — embora os dirigentes palestinianos se recusassem posteriormente, na minha opinião, a colher os frutos do seu sucesso.

A nova *Intifada,* que começou no Outono de 2000, é um combate violento que não se confina aos Territórios Ocupados. Porém, as entrevistas feitas a muitos dos combatentes sugerem que estes (ou alguns deles) consideram que estão a lutar para pôr fim à ocupação e obrigar os colonos a partir; o seu objectivo é um estado independente, ao lado de Israel. Portanto, esta segunda guerra também é uma guerra real, embora, mais uma vez, não seja claro que Arafat esteja empenhada nela. Quererá ele aquilo que pelo menos alguns dos seus querem: um pequeno estado ao lado de um pequeno (mas não tão pequeno) estado de Israel? Quererá ele trocar a aura da luta heróica pela rotina enfadonha da construção de um estado? Quererá ele preocupar-se com o abastecimento de água a Jericó ou com a criação de uma zona industrial em Nablus? Se a resposta a estas perguntas for "sim", então todos devemos esperar que Arafat consiga o que quer. O problema é que muitos israelitas, que seriam capazes de partilhar esta esperança se pudessem ter esperança no que quer que seja, não acreditam, e não têm muitas razões para acreditar, que a resposta seja sim.

3. *A guerra pela segurança de Israel*: não se sabe, ao certo, quantos soldados israelitas pensam que esta é a guerra que estão a travar, mas o seu número é certamente elevado. A convocação dos reservistas que antecedeu as "incursões" israelitas, em Março/ Abril de 2002, contra as cidades da Cisjordânia, teve resultados surpreendentes. Normalmente o exército convoca o dobro dos soldados de que necessita; as pressões rotineiras da vida civil — filhos doentes, pais enfermos, exames escolares, perturbações no trabalho — são aceites como desculpas; muitos dos reservistas não respondem à chamada. Em Março de 2002, mais de 95 por cento desses reservistas compareceu. Estas pessoas não pensavam que iam lutar pelos territórios ocupados e pelos colonatos; todas as sondagens de opinião mostravam a inexistência de qualquer intenção de o fazer. Acreditavam, sim, que estavam a lutar pelo seu país ou, melhor talvez, pela sua segurança e sobrevivência no seu país. A resposta dos 95 por cento foi o produto directo dos

ataques terroristas. É possível, obviamente, que Sharon tenha explorado o medo do terrorismo para travar uma guerra diferente daquela que os seus soldados pensavam estar a travar. Mas, fosse o que fosse que Sharon tinha em mente, uma parte substancial do exército israelita estava a defender o país contra a ameaça terrorista. A terceira guerra é uma verdadeira guerra e, do ponto de vista moral, é uma guerra muito importante: a defesa do lar e da família no seu sentido mais imediato. Mas alguns lares e famílias israelitas estão situados no lado errado da Linha Verde, onde a sua defesa é moralmente problemática.

4. *A guerra pelos Territórios Ocupados:* a direita israelita está declaradamente empenhada nesta guerra mas o apoio que tem no país é (mais uma vez) incerto. Em 2000, em Camp David, o Primeiro Ministro Ehud Barak estava convencido de que ganharia o referendo sobre uma retirada quase total, se esta fizesse parte de um acordo negociado sobre o conflito, globalmente considerado. É provável que uma retirada sob pressão dos ataques terroristas não tenha o mesmo tipo de apoio, mas isso não nos dá qualquer informação sobre a extensão do apoio à ocupação e aos colonatos; diz-nos apenas que o terrorismo palestiniano é um desastre político para a esquerda israelita. Perante o terror, a esquerda não consegue mobilizar uma oposição aos colonatos; vê-se marginalizada; os seus potenciais apoiantes sentem cada vez mais cepticismo relativamente ao principal argumento: que a retirada dos territórios traria uma paz real. E este cepticismo abre caminho para que os políticos da direita defendam os colonatos — que não são diferentes, argumentam eles, de cidades e aldeias do lado israelita da Linha Verde: Se não lutarmos por Ariel e Kiryat Arbah (cidades judaicas na Cisjordânia), vamos ter de lutar por Telavive e Haifa.

Mas a luta por Ariel e Kiryat Arbah garante que não haverá uma verdadeira paz. Porque o movimento dos colonos é o equivalente funcional das organizações terroristas. Apresso-me a dizer que *não é o seu equivalente moral.* Os colonos não são assassinos, apesar de haver entre eles um pequeno número de terroristas. Mas a mensagem da actividade dos colonos aos palestinianos é muito semelhante à mensagem dos terroristas aos israelitas: queremos que se vão embora (alguns grupos da direita israelita, incluindo grupos representados no governo de Sharon, apoiam abertamente uma política de "transferência"), ou então que aceitem uma posição radicalmente subalterna no vosso próprio país. O objectivo dos colonos é o Grande Israel e o cumprimento deste objectivo equivaleria à não-existência de um estado palestiniano. É apenas neste sentido que são semelhantes aos terroristas: querem tudo, na sua totalidade. Estão dispostos a lutar por esta totalidade, e é de crer que alguns israelitas acreditem que é exactamente isso que estão a fazer neste momento. A quarta guerra é uma verdadeira guerra. O voto do Likud, em Maio de 2002, destinado a impedir que qualquer futuro governo israelita aceite um estado palestiniano, sugere uma forte vontade de continuar com a ocupação e de ampliar os colonatos. Apesar disto, suspeito que a maioria dos reservistas convocados em Março, ou aqueles que, agora (Agosto), patrulham as cidades palestinianas, não estariam dispostos a combater por esses objectivos se pensassem que esta era a única guerra que estavam a travar.

O grande erro dos dois primeiros ministros do centro-esquerda, Yitzhak Rabin e Barak, foi não se terem pronunciado contra o movimento dos colonos logo desde o início. Pensaram que derrotariam muito mais facilmente os apoiantes direitistas do Grande Israel se esperassem até ao fim do processo de paz. Entretanto, foram estabelecendo compromissos com a direita e permitiram que o número de colonos aumentasse gradualmente. Se, em vez disso, tivessem congelado a actividade colonizadora e escolhido desmantelar alguns colonatos isolados, teriam dado origem a uma batalha política que, tenho a certeza, teriam ganho; e essa vitória teria sido definitiva; gradualmente, as famílias dos colonos teriam começado a sair dos territórios. Como tal não aconteceu, os radicais palestinianos conseguiram convencer muitos dos seus conterrâneos de que o compromisso era impossível;

o conflito só poderia terminar de uma maneira: ou os palestinianos ou os israelitas tinham de se ir embora.

A direita responde alegando que esta foi sempre a opinião dos radicais palestinianos, mesmo antes de existirem colonatos para lá da velha fronteira. E não há dúvida de que isto é verdade: os radicais objectam contra a soberania judaica em qualquer parte do território "árabe"; não têm qualquer interesse na Linha Verde. Mas os apoiantes dos colonos, sobretudo os religiosos, são tão radicais como os outros. Também não têm qualquer interesse na Linha Verde; opõem-se à soberania árabe sobre qualquer parte da terra que, historicamente ou por dom divino, "pertence" ao povo judeu. O objectivo da quarta guerra é dar corpo a este conceito de pertença.

Devo dizer aqui algumas palavras sobre o "direito de regresso", apesar de os refugiados que invocam este direito — dado que a maioria vive para além das fronteiras da velha Palestina — não estarem directamente envolvidos em nenhuma das quatro guerras. Apesar disso, podem muito bem tornar-se os defensores mais aguerridos da guerra número um. A insistência de Arafat em que o regresso é uma questão em que não há meios-termos, deve visá-los em parte; Arafat sempre conseguiu o apoio da diáspora palestiniana. O "regresso" foi provavelmente um factor crucial no fracasso das negociações de Camp David, no fim do Verão de 2002. Contudo, neste ponto os participantes estão em desacordo: Arafat insistiria numa aceitação simbólica do direito ou num verdadeiro regresso? A maioria dos israelitas opta por uma abordagem literal, argumentando que a aceitação do direito abriria a porta ao regresso de centenas de milhar de palestinianos que se sobrepujariam à actual maioria judaica. O regresso, invocam eles, equivale a dois estados palestinianos. A maioria dos palestinianos defende a importância do simbolismo e parece ansiosa por adiar qualquer discussão sobre números. Já em Taba, em Janeiro de 2001, ambos os lados falaram realmente de números e, ao que parece, houve uma grande discrepância entre os números que uns e outros sugeriram.

Entre os palestinianos, só Sari Nuseibeh, o representante da AP em Jerusalém, se mostrou disposto a argumentar que a desistência do direito de regresso é o preço necessário a pagar para poder alcançar o estatuto de Estado. Parece-me ser esta a posição correcta, já que a insistência no regresso reabre, efectivamente, o conflito de 1947-48, o que, passado mais de meio século, não é uma coisa muito útil. Todos os outros refugiados, vindos desde a Europa Central até ao Sudeste asiático nos anos que se seguiram imediatamente à Segunda Grande Guerra, foram reinstalados sem problemas. Os palestinianos ainda se encontram em campos porque os seus próprios dirigentes e os estados árabes vizinhos tomaram a decisão de os manter ali: esta foi uma forma de insistir em que a guerra de independência de Israel ainda não tinha chegado ao fim. Hoje, porém, se os palestinianos quiserem vencer a sua própria guerra de independência, têm de reconhecer que a de Israel já está ganha. Talvez alguns refugiados regressem a Israel, outros, em maior número, à Palestina (esse número dependerá do ritmo do investimento e do desenvolvimento económico). Os outros deverão finalmente ser reinstalados. É altura de lidar com a sua verdadeira miséria e não com as suas exigências simbólicas. Continuará a existir uma diáspora palestiniana, tal como continua a existir uma diáspora judaica. Uma declaração clara de Arafat, que reconhecesse essa simples verdade representaria um grande passo para uma não-declaração da primeira guerra.

Como é que podemos optar entre as quatro guerras? Que tipo de juízos podemos fazer para avaliar quem devemos apoiar ou a quem nos devemos opor e quando? Muito depende das perguntas a que não respondi: quantos israelitas, quantos palestinianos apoiam cada uma das guerras? Ou, talvez melhor, podemos perguntar: que aconteceria se cada um dos lados ganhasse a sua guerra justa? Se os palestinianos conseguissem criar um estado do seu lado da Linha Verde, considerariam eles (ou, pelo menos, numa maioria suficiente) que estavam cumpridas as suas aspirações nacionais? Aceitariam este tipo de estado como o fim do conflito ou patrocinaria o novo estado uma política irredentista, conluiando-se secretamente numa guerra terrorista recorrente? O comportamento de Arafat em Camp David e posteriormente não sugere uma resposta muito esperançosa a estas perguntas. Do mesmo modo, será que a defesa de um estado, por parte de Israel, pára na Linha Verde ou será que a concepção da segurança do estado (ou do destino histórico) do actual governo exige territórios para além dessa linha, mesmo muito para além dela? O comportamento de Sharon, desde que chegou ao governo, não sugere uma resposta muito esperançosa a esta pergunta.

O que aconteceu em Camp David é obviamente importante para dar forma aos nossos juízos morais sobre os dois lados e sobre as quatro guerras, pois foi a incapacidade de Barak de chegar a um acordo em Camp David que ditou o seu destino e levou Sharon ao poder. Arafat recusou-se a fazer a paz e sobreviveu; Barak não conseguiu fazer a paz e foi derrotado (isto ensina-nos algo sobre os apoiantes destes dois homens). É verdade que as negociações e as propostas apresentadas em Camp David e em Taba ainda não foram totalmente discutidas. Os negociadores não chegam a acordo; e eu não tenho nenhuma informação privada relativamente a este ponto. Mas parece-me razoavelmente claro que cada movimento sucessivo no processo das negociações aproximou os palestinianos do controlo do estado e da soberania em algo muito parecido (e, com cada movimento, cada vez mais parecido) com a totalidade dos territórios. A alegação de que os palestinianos receberam apenas uma série de "Bantustãos" separados entre si parece ser falsa; uma Palestina quase inteiramente unida (a Cisjordânia e Gaza continuariam a ser territórios separados) seria, pelo menos, um resultado possível e até provável das negociações em curso, fossem quais fossem as propostas num ou noutro momento. E, assim, a decisão de se afastar do processo das negociações e de começar a segunda *Intifada*, militarizando-a em seguida, é muito difícil de compreender — especialmente difícil porque temos de partir do princípio de que Arafat sabia que a violência palestiniana garantiria a derrota do governo de centro-esquerda de Barak. Não é loucura concluir que, pura e simplesmente, ele não estava interessado num compromisso histórico e no fim do conflito ou, quando chegou o momento crítico, não estava preparado para tal — mesmo que o compromisso trouxesse consigo um estado soberano na Cisjordânia e em Gaza.

Daí a ordem das quatro guerras na minha apresentação. Pus a guerra número um, pela destruição do estado de Israel, à frente da guerra número dois, pela constituição de um estado nos territórios, porque, aparentemente, a constituição de um estado poderia ter sido conseguida sem qualquer guerra. E pus a guerra por um Grande Israel a seguir à guerra de defesa pela segurança de Israel porque o anterior governo israelita estava disposto a renunciar totalmente à "grandeza" territorial. Mas, se os palestinianos fizerem um esforço sério para reprimir as organizações terroristas e se esse esforço não levar o governo de Sharon a repensar a sua posição sobre os territórios, então esta ordem terá que ser revista. De qualquer forma, todas as quatro guerras estão actualmente em curso: que podemos dizer acerca delas?

Haverá que derrotar a primeira guerra ou renunciar definitivamente a ela. Os críticos de Israel, na Europa e nas Nações Unidas, cometeram um erro terrível, um erro tanto moral como político, ao não reconhecerem a necessidade desta derrota. Condenaram cada um dos sucessivos ataques terroristas a civis israelitas, muitas vezes numa linguagem mais forte do que a que Arafat utilizou, mas não reconheceram e, menos ainda, condenaram, a própria sucessão dos ataques considerados no seu conjunto como uma guerra injusta contra a própria existência de Israel. Houve demasiadas desculpas para o terrorismo, demasiados esforços para "compreender" o terror como uma resposta (horrenda, evidentemente) à opressão da ocupação. É provável, de facto, que alguns terroristas sejam motivados por encontros pessoais com as forças da ocupação ou por um sentimento mais geral de humilhação por terem sido ocupados. Mas muitas outras pessoas reagiram de forma diferente à mesma experiência: existe um debate permanente entre os palestinianos (semelhante ao que se travou no IRA e na FLN argelina) sobre a utilidade e legitimidade moral do terror. A esquerda europeia — e não só — simpatizante dos palestinianos deveria ter cuidado e não apoiar este argumento pelo lado dos terroristas.

A vitória na segunda guerra, a guerra pela criação de um estado palestiniano, depende da renúncia à primeira guerra ou da derrota. Esta interdependência é, parece-me, moralmente clara; politicamente nem sempre o foi. Se alguma vez houver uma intervenção estrangeira no conflito israelo-palestiniano, um dos seus objectivos deverá ser o de esclarecer a relação entre a primeira guerra e a segunda (e também entre a terceira e a quarta). Os palestinianos só poderão ter um estado quando disserem claramente aos israelitas que o estado que querem fica ao lado de Israel. Chegará o momento em que um dirigente palestiniano (é pouco provável que seja Arafat) terá de fazer aquilo que fez Anwar Sadat, em 1977: acolher Israel como vizinho no Médio Oriente. Dado que Israel já existe e a Palestina não, poder-se-ia pensar que o acolhimento viria do outro lado. Talvez assim devesse ser; de qualquer forma, o acolhimento tem de ser mútuo. Mas a dimensão dos ataques terroristas exige agora que os palestinianos encontrem uma maneira convincente de repudiar a palavra de ordem que ainda ecoa em muitas das suas manifestações: "Morte aos judeus!"

A relação entre a terceira e a quarta guerra é simétrica à que existe entre a primeira e a segunda: tem de haver uma derrota ou uma renúncia definitiva à guerra número quatro, pelo Grande Israel, se se quiser ganhar a guerra número três, pelo próprio Israel. Os ataques de Março/Abril de 2002 às cidades da Cisjordânia e o regresso dos soldados israelitas a essas mesmas cidades, em Junho/Julho, seriam muito mais defensáveis se fosse claro que o objectivo não era manter a ocupação mas apenas pôr fim ou reduzir a ameaça terrorista. Na ausência de uma guerra palestiniana contra o terror, uma guerra israelita é certamente justificada. Nenhum estado pode deixar de defender as vidas dos seus cidadãos (é para isso que servem os estados). Mas seria um prelúdio moralmente necessário a essa guerra que o governo de Sharon declarasse o seu compromisso político de acabar com a ocupação e de tirar os colonos dos territórios (pelo menos muitos deles: o número definitivo dependerá de um acordo negociado sobre as fronteiras reais dos dois estados). É possível que os dirigentes das Nações Unidas tivessem condenado, fosse como fosse, a guerra israelita, independentemente dos compromissos declarados pelo governo, mas essas condenações poderiam então ter sido vistas como actos de hostilidade — que não deveriam ser confundidos com juízos morais sérios. Assim, o aceso debate sobre o massacre-que--nunca-aconteceu em Jenin, obnubilou a verdadeira questão moral, que não era a condução das batalhas mas, sim, a visão política do governo que as ordenara. A condução das batalhas parece estar conforme às normas da teoria da guerra justa, embora a utilização dos meios aéreos (por exemplo, contra o prédio de apartamentos de Gaza, em Julho) nem sempre assim tenha sido. A actual ocupação das cidades palestinianas e a prática das punições colectivas impõem dificuldades injustificáveis à população civil. Em combate, porém, o exército israelita aceita regularmente que os seus homens corram riscos, a fim de reduzir os riscos impostos à população civil. É flagrante o contraste com o modo como os russos combateram em Grozny, para dar um exemplo mais recente de uma guerra urbana em grande escala, e a marca fulcral deste contraste é o número muito reduzido de baixas civis nas cidades da Palestina, apesar da ferocidade dos combates. Mas a legitimidade da auto-defesa de Israel será finalmente determinada pela dimensão desse "auto-" — a extensão do território — que está a ser defendido.

Quase toda a gente tem um plano de paz: uma paz para as quatro guerras. E o plano de todos (deixando de parte aqueles palestinianos e israelitas que combatem por todas as causas) é mais ou menos o mesmo. Tem de haver dois estados, divididos por uma fronteira próxima da Linha Verde, com alterações que sejam objecto de um acordo mútuo. Como chegar aí e como garantir que ambos os lados permaneçam aí depois de lá terem chegado — são questões relativamente às quais as discórdias são profundas, tanto entre os palestinianos e os israelitas, como também dentro de ambos os grupos. Apenas posso debruçar-me sobre estas questões em termos muito genéricos. Os termos genéricos são suficientemente claros: os palestinianos têm de renunciar ao terrorismo, os israelitas têm de renunciar à ocupação. Na verdade, nenhuma dessas renúncias parece provável, tendo em conta os líderes actuais de ambos os lados. Mas existe um movimento de paz significativo em Israel, e vários partidos políticos empenhados na renúncia, e, entre os palestinianos, embora não exista nenhum movimento comparável, há pelo menos pequenos indícios de oposição aos ataques terroristas. Talvez que os avanços possíveis tenham de surgir independentemente de ambos os lados e, em primeiro lugar, por alguém que esteja de fora daquilo a que normalmente se chama os "círculos dirigentes".

O que vem a seguir é um argumento difícil e não o invoco com grande confiança. Limito-me a repetir aquilo que dizem, agora, alguns dos meus amigos dos movimentos de paz israelita (não posso falar pelos oposicionistas palestinianos). Estes argumentam que há uma maneira de defender os cidadãos israelitas e de indicar, ao mesmo tempo, a disponibilidade de regressar a uma versão modificada da fronteira de 1967. Uma retirada unilateral dos colonatos isolados, em Gaza e na Cisjordânia, melhoraria instantaneamente a posição defensiva de Israel, reduzindo as linhas que o exército tem de patrulhar; e provocaria, além disso, a batalha política com os colonos que (como eu já defendi) devia ter sido travada há já muitos anos. Num futuro próximo, esta retirada assumirá, muito provavelmente, mais a forma de um programa da esquerda do que de uma política governamental, mas iniciaria de qualquer modo a batalha necessária no interior de Israel e poderia encorajar os oposicionistas palestinianos a iniciarem também a sua própria batalha: um esforço sério para refrear as organizações terroristas para que a retirada israelita, quando finalmente ocorresse, não gerasse uma vaga de entusiasmo entre os militantes e, depois, uma série de novos ataques. Esta perspectiva é o perigo óbvio de qualquer unilateralismo, e é um perigo verdadeiro, como demonstrou a retirada do Líbano. Mas talvez seja um risco que valha a pena correr.

Em última instância, os partidários das guerras número dois e três têm de derrotar os partidários das guerras número um e quatro. O caminho para a paz começa com estas duas batalhas internas (mas não necessariamente descoordenadas). Uma trégua, patrocinada pelos americanos ou pelos americanos/europeus auxiliaria os moderados de ambos os lados; mas, ao mesmo tempo, o sucesso da paz depende da força dos moderados. Neste momento é difícil avaliar se a "reforma" da autoridade palestiniana aumentaria esta força. Nem todas as coisas boas acontecem ao mesmo tempo na vida política: alguns dos palestinianos mais moderados contam-se entre os mais corruptos, enquanto os bombistas suicidas são, indubitavelmente, idealistas. As eleições democráticas na Palestina poderão talvez favorecer os demagogos nacionalistas e religiosos; mas também em Israel essa é uma possibilidade real. Apesar disso, uma política mais aberta entre os palestinianos permitiria expressões públicas de apoio a uma paz negociada, e isso seria um progresso importante.

Seria útil que uma força internacional, sob a égide das Nações Unidas, fosse supervisar as fronteiras (temporárias ou permanentes) entre Israel e a Palestina? Trata-se de uma ideia cada vez mais popular, mas que levanta problemas sobre a reciprocidade. Os colonos israelitas teriam de ser derrotados antes dessas forças entrarem no terreno porque a fronteira ao longo da qual elas se instalariam excluiria certamente muitos dos colonatos existentes. Mas os terroristas palestinianos não precisariam de ser derrotados, porque se encontram confortavelmente instalados de um dos lados da linha de demarcação. É fácil prever o que aconteceria a seguir: os terroristas esgueirar-se-iam por entre as patrulhas multinacionais das Nações Unidos e matariam civis israelitas. Depois, Israel pediria aos soldados da ONU que perseguissem as organizações terroristas, coisa que, como implicaria uma campanha militar importante, os soldados se recusariam a fazer. E depois? Uma força internacional, disposta a recorrer à força (e a aceitar baixas), poderia levar a paz ao Médio Oriente — mas não consigo pensar em nenhum país que esteja de facto disposto a mandar os seus soldados para batalhas reais. A história das

Nações Unidas na Bósnia, no Ruanda e em Timor-Leste é estarrecedora. Por isso, a única força passível de ir para o terreno será uma força organizada para manter a paz e não para a fazer, e a sua eficácia dependerá da vitória prévia dos moderados israelitas e palestinianos. A internacionalização não é um substituto da vitória, e está inevitavelmente condenada ao fracasso se vier unicamente na sequência da vitória dos moderados israelitas.

Existe uma forma de comprometimento internacional mais ideológico e político do que militar, que poderia ser genuinamente útil. É muito importante retirar legitimidade aos terroristas e aos colonos. Mas isto tem de ser feito em simultâneo e com uma certa inteligência moral. A actual campanha de boicote contra Israel, que segue o modelo da campanha de 1980 contra a África do Sul, visa retirar legitimidade apenas a um dos lados. E, como o outro lado não é dirigido por nenhuma organização que se pareça, de perto ou de longe, com o Congresso Nacional Africano, nem por um homem que se pareça, de perto ou de longe, com Nelson Mandela, o sucesso desta campanha terá de ser desastroso. Reforçará os combatentes da guerra número um. Só quando os críticos europeus de Israel estiverem prontos para dizer aos palestinianos que não haverá apoio a uma AP cúmplice do terrorismo é que poderão pedir aos críticos americanos dos palestinianos que digam o mesmo ao governo israelita. Os intelectuais empenhados no internacionalismo servirão melhor a sua causa se explicarem e defenderem as duas posições em conjunto.

Tentei apresentar a complexidade do conflito israelo-palestiniano. Não posso pretender ter sido de uma objectividade total. A direita nacionalista israelita, mesmo a direita religiosa, é, para mim, um inimigo familiar, enquanto que a ideologia de morte e de martírio de tantos palestinianos de hoje me é totalmente estranha; não a compreendo. Por isso, talvez outros possam fazer uma análise mais correcta das quatro guerras. O que é fundamental é reconhecer que existem quatro. Muitos comentadores, sobretudo da esquerda europeia mas também da direita judaica e cristã aqui nos Estados Unidos, não o fizeram; em vez disso esboçaram

caricaturas ideológicas do conflito. Estas caricaturas seriam facilmente ridicularizáveis, se não tivessem efeitos tão mortais. Porque incitam os palestinianos e os israelitas a travar a primeira e a
quarta das guerras. Aqueles de nós que observam e se preocu-
pam com o Médio Oriente têm, no mínimo, a obrigação de não
fazer o mesmo.

10. Depois do 11 de Setembro: cinco perguntas sobre o terrorismo (2002)

Esta análise não será simples nem inteiramente coerente. Ainda estou a refazer-me do choque dos ataques de 11 de Setembro e as minhas ideias ainda não estão muito bem ordenadas. Tentarei responder a cinco perguntas sobre o terrorismo. Deixo ao cuidado do leitor concluir se as respostas equivalerão a uma "posição" — teórica ou prática.

1. O que é o terrorismo?
2. Como devemos proceder para o explicar?
3. Como se defende ou desculpa?
4. Como deveríamos responder?
5. Quais serão os sinais de uma resposta bem sucedida?

1. *O que é?* Não é difícil de reconhecer; podemos evitar, com segurança, os argumentos pós-modernistas sobre conhecimento e verdade. O terrorismo é a matança deliberada de pessoas inocentes, aleatoriamente, a fim de espalhar o terror entre toda uma população e forçar a mão dos seus dirigentes políticos. Mas esta é uma definição que se adequa melhor ao terrorismo de um movimento de libertação nacional ou revolucionário (o Exército Republicano Irlandês, IRA, a Frente de Libertação Nacional argelina, FLN, a Organização de Libertação da Palestina, OLP, o Movimento Separatista Basco, ETA, etc.). Existe também um terrorismo de estado, vulgarmente utilizado pelos governos autoritários e totalitaristas contra o seu próprio povo, para espalhar o terror e tornar impossível a oposição política: os "desaparecimentos", na Argentina, são um exemplo útil. E, finalmente, existe o terrorismo de guerra: a matança de civis em tão grande escala que o governo

é obrigado a render-se. Hiroxima parece-me ser o caso clássico. O elemento comum é transformar em alvos pessoas que, tanto do ponto de vista militar como político, são não-combatentes. Não são soldados, não estão ligadas ao governo, são apenas pessoas vulgares. E não são mortas por acaso, no decorrer de acções que visam outros alvos; são mortas intencionalmente.

Não aceito a ideia de que "o terrorista de um homem é o combatente pela liberdade de outro homem". É claro que a utilização do termo é contestada; isto acontece com muitos termos políticos. A utilização de "democracia" é contestada mas, apesar disso, fazemos uma ideia bastante correcta do que é (e do que não é) a democracia. Quando a Bulgária comunista se intitulou "democracia popular", só os parvos se deixaram enganar. O mesmo acontece com o terrorismo. Nos anos 60, quando um membro da FLN pôs uma bomba num café em que adolescentes franceses se encontravam para namorar e dançar, e se auto-intitulou "combatente da liberdade", só os parvos se deixaram enganar. Naquele tempo havia muitos parvos e foi nessa altura — nos anos 60 e 70 — que nasceu a cultura da desculpa e da justificação (mas tratarei disso adiante).

2. Como proceder para explicar o terrorismo — e, em particular, a forma de terrorismo que hoje existe? A primeira coisa a compreender é que o terrorismo é uma opção; é uma estratégia política seleccionada de entre um leque de opções. Temos de imaginar [ver capítulo 4] um grupo de pessoas, sentado à volta de uma mesa a discutir o que fazer; é difícil reconstruir este momento mas tenho a certeza de que tais momentos existem de facto, embora, quando é escolhida a opção do terrorismo, as pessoas que se opuseram a esta escolha sejam normalmente assassinadas, pelo que nunca ouvimos a sua versão de como decorreu a discussão. Porque que é que os terroristas levam tantas vezes a melhor? Quais são as raízes políticas do terror?

Não me parece que uma simples explicação materialista seja válida, embora nestes últimos dois meses se tenha falado muito da miséria humana, da pobreza terrível, das imensas desigualdades globais que, "em última instância", são as raízes do terrorismo. Fala-se também dos terríveis sofrimentos, como alguém escreveu nos nossos semanários, das "pessoas que, no mundo inteiro, têm sido vítimas da acção militar americana — no Vietname, na América Latina, no Iraque..." O autor destas palavras parece não se ter apercebido de que não há terroristas provenientes do Vietname ou da América latina. A miséria e a desigualdade não são explicações cabais de nenhum dos movimentos nacionalistas terroristas e, muito menos, do terror islâmico. Um simples exercício mental em política comparativa ajuda a compreender por que razão elas não servem de explicação. É indubitavelmente a África que revela as piores consequências da desigualdade global, e não há ponto do planeta onde o envolvimento ocidental na produção e reprodução da desigualdade seja mais evidente. Há também muito envolvimento local. Muitos governos africanos são cúmplices ou responsáveis directos da miséria dos seus povos. No entanto, o Ocidente desempenha aqui um muito grande papel. E, apesar disso, a diáspora africana não é um mar calmo onde os terroristas nadam à vontade. E o mesmo se pode dizer da América Latina, e especialmente da América Central, onde as empresas dos Estados Unidos desempenharam um papel importante na exploração e manutenção da pobreza: e, apesar disso, a diáspora da América Latina também não é um mar calmo. Precisamos de outra explicação.

Precisamos de uma explicação que combine os aspectos culturais, religiosos e políticos e que se centre, penso eu, na criação de um Inimigo, que é todo um povo cuja degradação, ideológica ou teórica, é tão grande que está pronto a matar: foi o que o IRA fez aos protestantes irlandeses, a FLN aos argelinos franceses, a OLP aos judeus israelitas. Esta espécie de Inimigo é uma criação especial dos movimentos nacionalistas e religiosos, que muitas vezes visam não só a derrota como também a retirada, ou a eliminação, dos "outros". A propaganda em tempos de guerra tem normalmente o mesmo efeito, demonizando o outro lado, mesmo quando ambos os lados pensam que a guerra terminará com uma paz negociada. Quando se cria o Inimigo, qualquer "deles" pode ser morto, homens, mulheres ou crianças, combatentes e não-combatentes, gente vulgar. A hostilidade é generalizada e indiscriminada. No caso do terrorismo islâmico, o Inimigo é o infiel, cujo dirigente mundial é os Estados Unidos e cujo representante local é Israel.

Os terroristas islâmicos não se intitulam combatentes da liberdade; a sua missão é diferente: restaurar o domínio do Islão em terras do Islão. Ossama Bin Laden, no discurso que pronunciou num vídeo, pouco antes (mas difundido depois) dos ataques de 11 de Setembro, falou de oitenta anos de sujeição, o que faz recuar a história até à criação dos protectorados e das administrações territoriais europeus no Médio Oriente, depois da Primeira Grande Guerra; ao esforço para criar um estado cristão no Líbano; às tentativas de criar monarquias constitucionais e repúblicas parlamentares ao estilo ocidental, no mundo árabe; à criação de Israel como estado judaico depois da Segunda Guerra Mundial; e, em seguida, à longa série de derrotas militares, de 1948 até 1991, não só no Médio Oriente como no Leste Asiático, todas elas sentidas como terríveis humilhações às mãos de judeus, hindus e americanos que não são, de todo, considerados guerreiros.

Mas as derrotas militares fazem parte de uma história mais vasta de fracasso da constituição de estados e do desenvolvimento económico em quase todo o mundo islâmico. A resposta dos religiosos fundamentalistas à modernidade, que é transversal a todas as grandes religiões do mundo, depara-se aqui com governos que estão muito longe de serem representantes admiráveis da modernidade: muitas vezes são governos seculares, ou governos que estão dispostos a entrar em acordos com o Ocidente e ansiosos por absorver as últimas tecnologias, mas que são ao mesmo tempo brutais, repressivos, corruptos, autoritários, injustos... e incapazes de fornecer os símbolos ou a substância de uma vida comum decente. E alguns destes governos, a fim de manterem o seu próprio poder, apoiam uma espécie de bode expiatório, ideológico e teológico, dirigido contra inimigos externos: Israel, a

América, o ocidente em geral, são acusados dos falhanços internos. Alguns destes governos são nossos aliados, os moderados islâmicos ou os secularistas árabes, mas mesmo estes têm ainda de lidar com os extremistas que existem no seu seio; ainda têm de se comprometer a lutar abertamente contra o radicalismo teológico que inspira as redes terroristas. A Jihad é uma resposta não só à modernidade mas também ao fracasso radical de modernização do mundo islâmico.

As campanhas terroristas anteriores são também, em parte, explicáveis pelo autoritarismo interno e pela fraqueza do "movimento de libertação", neste caso a sua recusa ou incapacidade de mobilizar o seu próprio povo para outros tipos de acção política. O terrorismo, ao fim e ao cabo, não requer a mobilização das massas; é obra de uma elite mínima de militantes que alegam representar "o povo", mas que agem na ausência do povo (é por isso que o marxismo clássico foi sempre hostil ao terrorismo — por razões que, infelizmente, eram estratégicas e não morais). Quando alguém como Gandhi organizou um movimento de massas não-violento pela libertação nacional, o terrorismo esteve totalmente ausente.

3. *Como se defende o terrorismo?* Em certos grupos islâmicos extremistas assiste-se, hoje em dia, a uma defesa simples que também é uma negação: não há americanos inocentes e, por isso, os ataques como o do 11 de Setembro não têm um carácter terrorista. Mas os argumentos que quero invocar são de um tipo diferente: não justificam os actos a que chamamos terrorismo. São, em contrapartida, expressões daquilo que já descrevi como uma cultura de desculpas e de justificação. Basicamente, existem dois tipos de desculpas. A primeira considera o desespero dos "oprimidos", como lhes chamam (e que podem muito bem ser): o terror, dizem-nos, é a arma dos fracos, o último recurso de nações subjugadas. Na realidade, o terror é vulgarmente o primeiro recurso de militantes que acreditam, logo à partida, que o Inimigo tem de ser morto, e que não têm nem interesse nem capacidade

para organizar o próprio povo para outro tipo de política: tanto a FLN como a OLP recorreram ao terror logo desde o início. Não houve uma longa série de tentativas de encontrar alternativas. E, como vimos, existe pelo menos uma alternativa — a mobilização não-violenta das massas — que demonstrou ser uma "arma dos fracos" muito mais eficaz.

O segundo tipo de desculpas considera a culpa das vítimas do terrorismo. É assim que as coisas funcionam em relação aos americanos: fizemos a guerra do Golfo, estacionámos tropas no solo sagrado da Arábia Saudita, decretámos o bloqueio do Iraque e bombardeámo-lo, apoiámos Israel — de que estamos a espera? É evidente que os ataques de 11 de Setembro são iníquos; devem ser condenados mas — um "mas" muito grande — ao fim e ao cabo, nós merecemos. Estava-se mesmo a ver que tinha de acontecer. Geralmente este argumento é invocado por pessoas que, antes do 11 de Setembro, queriam que deixássemos de proteger os curdos no norte do Iraque, que deixássemos de apoiar Israel e que saíssemos da Arábia Saudita; e agora vêem no terrorismo islâmico uma oportunidade para "pôr em execução" as suas ideias políticas. Atribuem estas ideias aos terroristas (que outra coisa poderiam os terroristas ter em mente senão aquilo que os esquerdistas ocidentais sempre advogaram?) e depois apelam a uma política de apaziguamento com o fito de evitar novos ataques. Na minha opinião, esta é uma política que começa em desonra e acaba em desastre. Mas não quero falar dela agora; quero, simplesmente, negar a legitimidade moral da desculpa. Mesmo que as políticas americanas no Médio Oriente e no Leste da Ásia fossem ou sejam erradas em muitos aspectos, não desculpam os ataques terroristas; nem sequer os tornam moralmente compreensíveis. O assassinato de gente inocente não é desculpável.

4. *Como deveríamos responder?* Quero defender aqui uma resposta multilateral, uma "guerra" contra o terror que tem de ser travada em muitas frentes. Mas quem é, aqui, o inimigo? Serão as pessoas que planearam, ou patrocinaram, ou apoiaram os ataques

do 11 de Setembro, ou serão todos e quaisquer outros grupos que praticam uma política terrorista? Sugiro que pensemos em termos de uma analogia com a intervenção humanitária. Nós (os Estados Unidos, as Nações Unidas, a Organização do Tratado do Atlântico Norte, a Organização de Unidade Africana e outros) interviemos, ou deveríamos intervir, contra o genocídio ou a "limpeza étnica" onde quer que estas ocorram. Existem, é claro, muitas doutrinas políticas e religiosas diferentes que inspiram o genocídio e a limpeza étnica, e cada intervenção é diferente; cada uma delas exige os seus próprios cálculos de moralidade e prudência. Mas o nosso compromisso devia ser geral. O mesmo acontece com o terror. Existem muitas ideologias terroristas e muitas organizações terroristas. Deveríamos opor-nos a todas, mas as diferentes intervenções teriam de ser consideradas uma por uma. Deveríamos imaginar a "guerra" com muitas intervenções diferentes possíveis.

A "guerra" é aqui uma metáfora, mas a guerra real é uma parte necessária da "guerra" metafórica. Pode ser a única parte a que se aplica a doutrina, frequentemente invocada, da "guerra justa"; temos de procurar um tipo de orientação ética nas outras frentes, diferente, embora relacionada com essa "guerra justa". A interrogação sobre a justiça na guerra real é uma interrogação que nos é familiar, e o mesmo acontece com a resposta — embora a resposta seja mais fácil na teoria do que na prática. Ao lutar contra os terroristas não devemos visar gente inocente (isso é o que fazem os terroristas); idealmente deveríamos aproximar-nos tanto do inimigo, ou dos seus apoiantes, a ponto de termos a certeza de que não só o visávamos mas também de que lhe acertávamos. Quando lutamos à distância com aviões e mísseis, temos de ter gente no terreno para seleccionar os alvos, ou então temos de ter serviços secretos muito bons; temos de evitar sobrestimar a inteligência das nossas bombas inteligentes. O orgulho tecnológico desmedido não é, suponho eu, um crime, mas pode levar a resultados muito maus, portanto mais vale prevermos uma margem de erro grande. E, finalmente, porque mesmo que façamos tudo isso estaremos ainda a impor sérios riscos à população civil, devemos reduzir estes riscos na medida do possível — e incorrermos, nós mesmos, em risco para o fazer. Esta última afirmação é a mais complicada que eu tenho a fazer porque não sou eu que vou ter de correr esses riscos. A regra da proporcionalidade é, aqui, vulgarmente invocada: os civis mortos e feridos, eufemisticamente chamados "danos colaterais", não deveriam ser em número desproporcional ao valor da vitória militar visada. Mas, como eu não sei como medir os valores relevantes nem como especificar a proporcionalidade, e porque não penso que alguém o saiba fazer, prefiro debruçar-me sobre a seriedade da intenção de evitar prejudicar civis, o que se pode medir através da aceitação do risco.

Assumindo que identificamos correctamente a rede terrorista responsável pelos ataques do 11 de Setembro e que o governo talibã era, de facto, seu patrono e protector, a guerra no Afeganistão é certamente uma guerra justa. O objectivo da guerra é sobretudo a prevenção: destruir a rede e impedir a preparação de ataques futuros. Na minha opinião não devíamos pensar que a guerra é uma "acção policial", destinada a levar os criminosos a tribunal. Provavelmente não teremos provas para o fazer; e pode até acontecer que as provas coligidas por meios clandestinos ou pela força das armas em países distantes — provas que não vêm dos arquivos oficiais, como foi o caso dos registos alemães que figuraram nos Julgamentos de Nuremberga, mas sim de e-mails interceptados e de outras fontes não-oficiais semelhantes — não fossem admitidas por um tribunal americano; e provavelmente também não o seriam em tribunais internacionais, embora eu não conheça as regras sobre provas que se aplicam em Haia. Seja como for, será que queremos de facto julgamentos numa altura em que as redes terroristas ainda estão activas? Pensemos na captura de reféns e na ameaça de bombas que acompanhariam certamente estes julgamentos. O recurso aos tribunais militares eliminaria estas dificuldades, porque as regras sobre as provas poderiam ser mais flexíveis e os julgamentos poderiam decorrer à porta fechada. Mas, aí, haveria custos de legitimidade a pagar: porque a Justiça, como diz o ditado, não tem só de ser feita, tem também de se ver que é feita; tem de ser vista no *momento* em que é feita. Por isso... poderá haver julgamentos daqui a algum tempo, mas não devemos, para já, centrar-nos neles; o primeiro objectivo da "guerra" contra o terrorismo não é olhar para trás e retribuir mas sim olhar em frente e prevenir. Se assim é, então faz sentido dizer que o Afeganistão é um assunto de importância secundária, por muito necessário que seja, por muita atenção que os meios de comunicação lhe dediquem, por muito que os nossos diplomatas e soldados se tenham de ocupar dele.

A batalha mais importante contra o terrorismo está a ser travada exactamente aqui e na Grã-Bretanha, na Alemanha e na Espanha e noutros países da diáspora árabe e islâmica. Se conseguirmos prevenir novos ataques, se pudermos começar a desmantelar as células terroristas, essa será uma vitória muito importante. E é muitíssimo importante, porque os "sucessos", como o 11 de Setembro, têm efeitos energéticos; produzem um recrudescer de voluntários e provavelmente uma vontade maior de financiar as redes terroristas.

O trabalho da polícia é a primeira prioridade, o que levanta dúvidas, não em relação à justiça, mas em relação às liberdades civis. Os liberais e os libertários saltam em defesa da liberdade e têm toda a razão em fazê-lo; mas quando eles (nós) o fazem (fazemos) há que aceitar um novo ónus da prova: temos de conseguir provar que o trabalho necessário da polícia pode ser feito, e feito de forma eficaz, dentro de todos aqueles limites que pensamos serem necessários em nome da liberdade americana. Se não conseguirmos prová-lo, temos então de estar dispostos a considerar uma alteração dos limites. Fazê-lo não é uma traição aos valores liberais ou americanos, é, de facto, o que se deve fazer, porque a primeira obrigação do estado é proteger as vidas dos seus cidadãos (e é para isso que servem os estados), e agora as vidas dos americanos estão, visível e certamente, em risco. Mais uma vez, a prevenção é fundamental. Pensemos no que acontecerá às nossas liberdades civis se houver novos ataques terroristas coroados de sucesso.

As acções secretas são também necessárias, e confesso que não sei quais são as regras morais que se lhes aplicam. Sabemos que a distinção combatente/não-combatente é fundamental em qualquer tipo de actividade política e militar; mais do que isso é difícil saber. O argumento moral exige os seus processos, e aqui esses processos são deliberadamente, e talvez com toda a razão, escondidos dos olhos alheios. Talvez eu possa dizer uma palavra sobre os assassinatos que têm sido muito discutidos nestes últimos meses. O assassinato de dirigentes políticos está banido na legislação internacional, mesmo (ou especialmente) em tempo de guerra, e é banido por boas razões: porque é com os dirigentes políticos do estado inimigo que teremos, um dia, de negociar a paz. Há excepções óbvias a esta regra — ninguém, nenhuma pessoa moral, teria posto objecções a um esforço dos aliados para assassinar Hitler; na realidade, não estávamos dispostos a negociar com ele — mas os dirigentes políticos vulgares estão imunes. Os diplomatas estão imunes pela mesma razão: são potenciais arquitectos da paz. Mas os dirigentes militares não estão imunes, por muito elevada que seja a sua posição na cadeia de comando. Temos tanto direito de bombardear o quartel-general do exército inimigo como temos de bombardear as suas posições na linha da frente. Com as organizações terroristas, esta distinção entre os dirigentes militares e políticos desaparece, provavelmente. É difícil diferenciá-los e não estamos a preparar qualquer negociação. De todo o modo, pareceria estranho dizer que é legítimo atacar um grupo de terroristas que estão a treinar num campo do Afeganistão, por exemplo, mas que não é legítimo perseguir o homem que está a planear a operação para a qual os outros estão a treinar. Não está certo.

Em seguida vem o trabalho diplomático: neste momento, dedica-se a angariar apoio para a acção no Afeganistão e para a instauração de um eventual futuro regime não-talibã. Mas, a longo prazo, a tarefa crucialmente importante será a de isolar e punir os estados que apoiam o terrorismo. As regras parecem ser transnacionais; exploram a modernidade globalista, a que tão ferozmente se opõem. Mas não nos deixemos enganar: nem as redes transnacionais, nem a maioria das redes mais provinciais, conseguiriam sobreviver sem o abrigo físico, o patrocínio ideológico e os fundos fornecidos por estados como o Irão, a Síria, a Líbia e outros. Não vamos entrar em guerra com esses estados. Não existem *causus belli*, nem vamos andar à procura de causas dessas. Mas há muitas formas de pressões económicas e políticas que são legítimas sem ser necessário recorrer à guerra e, na minha opinião, há que fazer todos os possíveis para que esse tipo de pressão funcione. Significa isto que temos de convencer outros países — nossos aliados em muitos casos, e que têm laços mais estreitos do que nós temos com os estados terroristas e cujos dirigentes não têm sido heróis nesses domínios — para que eles próprios exerçam pressão e apoiem os desinvestimento, o embargo e outras sanções que se julguem apropriadas.

A guerra, o trabalho da polícia, as acções secretas e a diplomacia: tudo isto é da competência do estado. Mas existe também o trabalho ideológico, que não pode, e não deve, ser dirigido nem organizado pelo estado, que só será eficaz se for realizado livremente: o que significa, da forma democraticamente desordenada e aleatória habitual. Suponho que o estado se pode envolver, através da *Voice of America* e de outros meios de comunicação. Mas aquilo em que estou a pensar é diferente. Os intelectuais seculares e religiosos, os académicos, os sacerdotes, os publicistas, não necessariamente de uma forma organizada mas com algum sentido de compromissos partilhados, têm de começar a deixar de legitimar a cultura das desculpas e das justificações, a sondar as fontes religiosas e nacionalistas do terror, a apelar ao melhor da civilização islâmica em oposição ao pior, a defender a separação da religião e da política em todas as civilizações. Este tipo de coisas é muito importante; o debate é muito importante. Para alguém que ganha a vida a debater estas matérias, dizer isto pode parecer estar a tirar proveito em causa própria. Mas não deixa de ser verdade. Por muito egocêntricos e por muito fanáticos que sejam, por muito que levem a sua fé ao pé da letra, os terroristas apoiam-se, e as organizações terroristas ainda mais, num ambiente amigável — e este ambiente amigável é uma criação cultural/ intelectual/política. Temos de trabalhar para transformar esse ambiente, para que os terroristas, onde quer que estejam, só encontrem hostilidade e rejeição.

5. *Quais serão os sinais de uma resposta bem sucedida?* Como saberemos quando estará ganha esta "guerra"? O ministro da defesa já nos disse que não assistiremos a sinais convencionais: uma rendição formal, assinaturas num tratado de paz. As medidas de sucesso serão relativas: uma redução dos ataques e da sua dimensão; o colapso do ânimo dos terroristas, o aparecimento de informadores e de desertores nas suas fileiras; a adesão de oportunistas, daqueles que melhor farejam quem será o vencedor, ao nosso lado; o silêncio daqueles que anteriormente defendiam o terror; um sentimento de segurança crescente entre as pessoas vulgares. Nada disto surgirá rápida nem facilmente.

Há mais uma medida: a nossa capacidade de delinear a nossa política estrangeira, particularmente junto do mundo islâmico, sem nos preocuparmos com a resposta terrorista. Neste momento temos de nos preocupar: não podemos fazer coisas que possam levar alguém como Bin Laden a clamar vitória, a gabar-se de que forçou a nossa mão. Temos de caminhar com todo o cuidado: apoiar uma política defensiva no que toca, por exemplo, ao bloqueio do Iraque, ao conflito árabe-israelita e aos problemas na Caxemira, e não fazer nada que possa ser interpretado como apaziguamento. [Mas veja-se "Terrorismo: uma crítica das desculpas" (Capítulo 4) sobre os limites necessários deste argumento. Este não pode tornar-se um pretexto para recorrer a políticas indefensáveis.] Existem políticas americanas (não só para o mundo islâmico, mas também globalmente falando) que deveriam ser alteradas; mas em política não se deve fazer apenas aquilo que é correcto, deve-se fazê-lo também pelas razões correctas; os ataques do 11 de Setembro não são uma razão correcta para proceder a alterações. Um dia estaremos livres desse tipo de constrangimentos e essa será uma outra maneira de saber que ganhámos.

11. Cinco sobre o Iraque

Inspectores sim, guerra não
(Setembro 2002)

A administração Bush ameaça atacar o Iraque, e tem vindo a fazê-lo já há muitos meses. Mas é difícil, mesmo depois do discurso do Presidente nas Nações Unidas, perceber a pertinência desta ameaça. O seu objectivo poderia ser o de dissuadir os iraquianos de fabricar armas de destruição maciça, mas parece mais provável que acelerará o trabalho que eles já estão a fazer — especialmente desde que George W. Bush insistiu, repetidamente, que o seu objectivo não é só pôr fim à produção de armas mas também derrubar o regime de Saddam Hussein. Isto poderia destinar-se a angariar apoios para a guerra que se aproxima mas, até agora, teve exactamente o efeito contrário, dando a cada país do mundo (e a cada antigo general do exército dos Estados Unidos) uma oportunidade para dizer não — uma oportunidade que muitos deles agarraram de braços abertos. Poderia destinar-se a pressionar o Iraque a aceitar um sistema renovado de inspecções das Nações Unidas, ou a pressionar os nossos aliados para que imponham tal sistema. Esse seria um objectivo racional, mas não me parece que seja aquilo que a administração Bush realmente deseja. Os Estados Unidos pouco participaram nas negociações, que duraram vários meses e que visavam o regresso dos inspectores.

Sem termos acesso aos serviços secretos dos Estados Unidos é difícil avaliar até que ponto Saddam constitui uma ameaça grave. Mas procedamos a algumas estipulações de bom senso: primeiro, os iraquianos têm armas químicas e biológicas e estão a tentar fabricar armas nucleares; segundo, o nosso governo não tem a certeza de quão próximo os iraquianos estão de ter uma bomba nuclear utilizável, mas, de momento, não a têm; terceiro, o Iraque utilizou armas químicas no passado, embora unicamente no seu próprio território, durante a guerra com o Irão e nas suas tentativas de reprimir os curdos; e, quarto, o regime iraquiano é suficientemente brutal, a nível interno, e hostil, a nível externo — para com alguns dos seus vizinhos e para com os Estados Unidos — para que não possamos descartar a hipótese de estar disposto a utilizar de novo, e mais alargadamente, essas armas, ou a utilizar armas nucleares se e quando as produzir. Também não podemos descartar a possibilidade (embora, para já, não haja qualquer prova) de uma transferência de armas de destruição maciça, por parte dos militares ou dos serviços secretos iraquianos, para grupos terroristas.

Se hoje estas estipulações são plausíveis, a verdade é que o são já há muito tempo. Sugerem que foi completamente errado permitir que o primeiro sistema de inspecções das Nações Unidas falhasse. Já em 1990 havia uma guerra justa e necessária à espera de ser travada, quando Saddam andava a jogar às escondidas com os inspectores. Essa guerra teria sido internacionalista, teria sido uma guerra para fazer com que a lei fosse cumprida, e a sua justiça decorreria, em primeiro lugar, da justiça do sistema que se ia aplicar e, segundo, do seu resultado provável: o reforço das Nações Unidas e da ordem global legal.

Embora o Iraque não tenha recorrido a armas de destruição maciça na guerra do Golfo, o acordo de paz imposto depois da guerra — que foi autorizado e, em parte, executado pelas Nações Unidas — incluía restrições à reprodução e utilização dessas armas. Como estado agressor, o Iraque foi submetido a uma série de restrições destinadas a tornar impossível qualquer agressão futura. Pode-se imaginar o Iraque como um estado em liberdade condicional, privado da sua soberania completa por causa do seu comportamento anterior. Este foi o resultado justo da guerra do Golfo, e o sistema de inspecções foi a sua característica fundamental.

Quando os inspectores chegaram ao terreno, revelaram ao mundo os esforços árduos do governo de Saddam para produzir uma variedade de armas horrendas e o estado de desenvolvimento de alguns dos trabalhos realizados. Durante uns tempos, pelo menos, os inspectores pareceram ser razoavelmente eficazes: várias instalações e grandes quantidades de materiais perigosos foram descobertos e destruídos. Mas na vida política a memória é curta, e os compromissos e as coligações são frágeis. As urgências da guerra e do seu rescaldo imediato começaram a desvanecer-se e alguns dos velhos parceiros de negócios do Iraque, nomeadamente a França e a Rússia, voltaram a reatar os antigos laços. Em meados dos anos 90, Saddam achou que podia, sem problemas, pôr à prova a vontade das Nações Unidas e a coligação de 1991, e assim começou a atrasar as inspecções ou a negar aos inspectores o acesso aos locais que queriam visitar. E tinha razão: não havia vontade de prosseguir com o sistema de inspecções — nem nas Nações Unidas (que assinou muitas resoluções mas não fez mais nada), nem na Europa, nem na administração Clinton. Os Estados Unidos estavam preparados para utilizar os seus meios aéreos com o fito de manter as "zonas não sobrevoáveis" no Norte e no Sul, mas não estavam preparados para uma guerra mais alargada.

Se os inspectores tivessem sido energicamente apoiados, o seu empregador, as Nações Unidas, seria mais forte do que actualmente é e seria muito difícil que os Estados Unidos — ou outros países — planeassem uma guerra sem passar pelos processos de tomada de decisão das Nações Unidas. Mas o fracasso da década de 90 não é fácil de corrigir e não vale a pena pretender que as Nações Unidas são um agente eficaz da lei e da ordem globais quando, de facto, não o são. Muitos estados insistem que apoiam o recomeço do sistema de inspecções mas, enquanto não estiverem dispostos a recorrer à força em sua defesa, esse apoio é suspeito. Declaram que estão a defender os princípios do direito, mas como pode haver princípios de direito quando estes princípios não são cumpridos? Quando a administração Bush se preocupa com o facto de que o regresso dos inspectores seria (nas palavras do vice-presidente Dick Cheney) "um falso conforto", está a reflectir a crença generalizada, partilhada por Saddam, em que os nossos aliados europeus nunca concordarão em usar da força para garantir que esses inspectores tenham liberdade total para aceder a quaisquer locais de produção de armas. De facto, até muito recentemente, os europeus não estavam seriamente a pensar reorganizar o sistema de inspecções — provavelmente porque sentiam relutância face à questão da sua aplicação coerciva. As negociações entre as Nações Unidas e os iraquianos foram difíceis e agitadas, uma dança diplomática que parecia destinada a atrasar as coisas e, finalmente, a fracassar. Ainda não é certo que a dança tenha terminado.

Os atrasos são perigosos porque, quando Saddam tiver armas de destruição maciça e um sistema eficaz para as utilizar, a nossa ameaça de recorrer à força contra o Iraque será muito menos plausível do que seria hoje em dia. Mas, como eu estipulei, Saddam ainda não as tem. Se a administração Bush pensa que o Iraque já é uma potência nuclear ou está literalmente à beira de o ser, então os últimos meses em que se ameaçou com a guerra, em vez de a travar, representariam, na perspectiva da administração, algo semelhante a negligência criminosa. Se resta ainda algum tempo antes de o Iraque dispor da bomba, então o recomeço rápido do sistema de inspecções é certamente o objectivo correcto — e imensamente preferível à guerra "preemptiva" que muitos em Washington tão entusiasticamente apoiam.

Num discurso proferido em West Point há alguns meses, o Presidente Bush defendeu a necessidade e a justiça da guerra preemptiva contra o Iraque. Mas, na ausência de provas que sugerissem não só a existência de armas iraquianas como também o seu uso iminente, a preempção não é uma descrição exacta da ameaça do Presidente. Ninguém está à espera de um ataque iraquiano amanhã ou na próxima terça-feira, por isso a preempção não tem razão de ser. A guerra que está a ser debatida é *preventiva,* não preemptiva — destina-se a responder a uma ameaça mais longínqua. O argumento geral a favor de uma guerra preventiva é muito antigo; na sua forma clássica tem a ver com o equilíbrio do poder. "Neste momento", diz o primeiro-ministro do país X, "o equilíbrio

é estável; cada um dos estados rivais sente que o seu poder é suficiente para dissuadir os outros de atacar. Mas o país Y, o nosso
rival histórico do outro lado do rio, está a trabalhar activa e rapidamente na criação de novas armas, a preparar uma mobilização
maciça; e se permitirmos que isto continue, o equilíbrio desvane-
ce-se e o nosso poder de dissuasão deixará de ser eficaz.
A única solução é atacar agora, enquanto ainda o podemos fazer."
Os juristas e os teóricos internacionais da guerra justa nunca
apreciaram muito este argumento, porque o perigo que ali se
menciona não é só um perigo distante como é também especulativo, enquanto os custos de uma guerra preventiva estão próximos,
são certos e, normalmente, terríveis. Os perigos distantes, ao fim
e ao cabo, podem ser evitados pela diplomacia, ou o trabalho militar do outro lado pode ser contrabalançado por trabalho deste
lado, ou o país X pode buscar alianças com estados que possuem
o poder de dissuasão que lhe falta. Seja a guerra o último recurso,
ou não, de qualquer forma não parece haver razão suficiente para
a transformar num primeiro recurso.

Mas o velho argumento da guerra preventiva não toma em
conta as armas de destruição maciça ou os sistemas de ataque que
não dão tempo a estudar o modo como se responde. Talvez o
fosso entre a preempção e a prevenção se tenha reduzido tanto
que há, entre elas, pouca diferença estratégica (e, por isso, pouca
diferença moral). O ataque israelita ao reactor nuclear iraquiano,
em 1981, é invocado por vezes como exemplo de um ataque pre-
ventivo justificado que foi também, de certo modo, preemptivo: a
ameaça iraquiana não estava iminente, mas um ataque imediato
era a única acção razoável contra ela. Quando o reactor entrasse
em funções, qualquer ataque poria em perigo as vidas de civis
num raio de muitos quilómetros. Tratava-se portanto de uma
questão de "agora ou nunca". Um ataque único podia ser eficaz
agora, mas não mais tarde; mais tarde, só uma guerra em larga escala teria impedido que o Iraque adquirisse armas nucleares. Mas,
se este parco argumento a favor da guerra preventiva se aplicou
a Israel em 1981, não se aplica aos Estados Unidos em 2002.

De facto, o Iraque já estava formalmente em guerra com Israel e a sua hostilidade era visível, ameaçadora e imediata. Ouvindo hoje os discursos de Saddam, podemos concluir que Israel continua a ter razões para atacar, preventivamente, alvos iraquianos, e alguns dos outros vizinhos do Iraque podem também ter as mesmas razões: pelo menos o perigo com que se defrontam é real. Mas não penso que seja esse o caso americano, mesmo se, alegadamente, representarmos os vizinhos — que não nos autorizaram a representá-los e cujos cidadãos ficariam radicalmente em risco em qualquer guerra americana. Na realidade, o exemplo "agora ou nunca" reforça os argumentos a favor da inspecção. Os primeiros inspectores das Nações Unidas supervisaram a destruição das instalações, cujo bombardeamento aéreo seria perigoso; ainda estão a tempo de o fazer outra vez.

A resposta da administração Bush, tanto quanto eu a entendo, tem duas partes. Primeiro, os inspectores nunca entrarão no Iraque, ou, se lá entrarem, nunca poderão trabalhar eficazmente, a menos que haja disponibilidade para combater — e ninguém, nas Nações Unidas ou na Europa, está seriamente disposto a tal. A inspecção significa atraso e, mais uma vez, o atraso é perigoso. Mais vale combater já. Mas "já" parece ser um termo muito elástico. É óbvio que há pessoas na administração Bush que pensam que os atrasos dos últimos meses, assim como os atrasos prováveis dos próximos meses, não são assim tão terrivelmente perigosos. E os inspectores podiam provavelmente "já" estar a trabalhar, no sentido mais preciso da palavra, se tivesse havido vontade que eles regressassem ao Iraque.

Em segundo lugar, por muito eficazes que sejam, os inspectores não derrubariam o regime de Saddam Hussein. Isto é certamente verdade, embora a sua presença e o seu trabalho enfraquecessem provavelmente o regime. De qualquer forma, uma mudança de regime não é vulgarmente aceite como justificação de uma guerra. Os precedentes não são encorajadores: a Guatemala, a República Dominicana, o Chile, a Hungria e a Checoslováquia reflectem os maus velhos tempos das "esferas de influência" da

Guerra Fria e das intervenções, militares ou clandestinas, de cariz ideológico. As mudanças de regime podem, por vezes, ser a *consequência* de uma guerra justa — quando os dirigentes derrotados são monstros morais, como os nazis na Segunda Guerra Mundial. E as intervenções humanitárias destinadas a acabar com os massacres e a limpeza étnica podem também resultar legitimamente na instauração de um novo regime. Mas agora que foi criada uma zona de segurança (relativa) para os curdos no Norte, não há nenhuma razão compulsiva para uma intervenção humanitária no Iraque. Não há dúvida de que o regime de Bagdad é brutalmente repressivo e moralmente repugnante, mas não pratica assassinatos em massa, nem limpeza étnica; existem governos tão maus (enfim, quase tão maus) quanto este no mundo inteiro.

A única razão válida para atacar Saddam é pensar que ele nunca desistirá de conseguir obter armas de destruição maciça. Mas mesmo isto não é convincente. Face a uma comunidade internacional interessada na realização de uma ronda de inspecções, com soldados prontos para avançar, Saddam desistiria, quase certamente, dos seus intentos, desistiria, pelo menos, enquanto durasse o empenho da comunidade internacional. De qualquer forma, muitos outros regimes em todo o mundo, incluindo os regimes democráticos (como é o caso da Índia), têm vindo a produzir, ou a tentar produzir, armas deste tipo. Por isso, como é que podemos ter a certeza de que eventuais futuros dirigentes do Iraque não retomarão o projecto de Saddam? Se é a segurança dos vizinhos do Iraque que nos interessa, então a inspecção é uma solução mais fiável do que uma mudança de regime.

A coisa correcta a fazer neste preciso momento é recriar as condições que existiam em meados dos anos 90 para levar a cabo uma guerra justa. E temos de fazer isto, precisamente, para evitar a guerra que muitos membros da administração Bush querem travar. Os europeus poderiam ter restabelecido estas condições sozinhos há meses, se tivessem, de facto, querido desafiar o unilateralismo americano. Nenhum governo em Bagdad poderia ter resistido a um ultimato europeu — admitam os inspectores nesta data ou, então...! Desde que os estados por detrás do ultimato incluíssem a França e a Rússia, e desde que o "ou então...!" envolvesse tanto sanções económicas como militares. Porque é que os europeus não fizeram isto? Bush falou de "um momento difícil e definidor" para as Nações Unidas, mas são, de facto, os europeus que estão neste momento a ser testados. Até agora, o seu comportamento sugere que deixaram completamente de se considerar actores independentes e responsáveis da sociedade internacional. Numa entrevista publicada em *The New York Times* de 5 de Setembro, o chanceler alemão Gerhard Schröder fez a seguinte declaração surpreendente: quando o governo dos Estados Unidos ameaçou com a guerra, o que fez, de facto, foi bloquear qualquer esforço de restabelecimento do sistema de inspecções. Lamento, mas creio que a verdade é exactamente o oposto: não haveria esse esforço sem a ameaça. Quatro dias depois da declaração de Schröder, e mais uma vez no *Times,* o presidente francês Jacques Chirac apelou à ONU para que esta reinstalasse o sistema de inspecções e ponderasse autorizar a utilização da força contra o Iraque se os inspectores vissem o seu trabalho dificultado. Seria um sinal muito forte da independência francesa se ele tivesse dito estas palavras ao *Le Monde,* em Junho ou Julho. Neste momento, a proposta de Chirac tem de ser considerada como um mero esforço de última hora para aplacar os doidos dos americanos. Apesar disso, a proposta francesa devia ser seguida. Já contribuiu para que o Iraque propusesse readmitir os inspectores. Chirac deveria agora ser pressionado para insistir em que as inspecções se fizessem sem entraves, mesmo se o Iraque começasse a apresentar novas condições.

Convencidos de que a França, a Rússia e outros estados europeus (sendo a Grã-Bretanha a única excepção) preferem uma via pacífica, os Estados Unidos não avançaram sozinhos para restabelecer o sistema de inspecções. Mas era isso que devíamos fazer. Em conjunto, a Europa e os Estados Unidos poderiam certamente impor o sistema necessário, com inspectores livres de irem onde quisessem, com o seu próprio calendário. Esta é uma maneira de evitar ou, pelo menos, de adiar a guerra do Iraque. Que os inspectores trabalhem, mas sem repetir os erros dos anos 90; e que sejam apoiados por uma força visível e avassaladora.

Não posso dizer, para já, se há alguma hipótese de que os inspectores regressem. Há muita gente ansiosa por repetir os velhos erros. O único e verdadeiro argumento a favor da guerra não é que a guerra seja a escolha correcta ou a melhor escolha disponível, mas o facto de não existir um compromisso internacional a favor de acções que ainda não são guerra (embora lhe estejam muito próximas) mas que exigem *a ameaça da guerra*. Penso que é justo dizer que muitos europeus influentes, tanto entre a classe política como na *intelligentsia*, prefeririam uma guerra americana unilateral à disponibilidade europeia para combater — mesmo que, como diz Hamlet, "a disponibilidade seja tudo" e que a própria guerra pudesse ser evitada.

Por isso, podemos vir ainda a enfrentar a questão política mais difícil: o que se deve fazer quando aquilo que se deve fazer não vai ser feito? Mas não devemos apressar-nos a responder a esta pergunta. Se as hesitações e os atrasos continuarem indefinidamente — se os inspectores não regressarem ou, regressando, não puderem trabalhar eficazmente; se a ameaça do recurso a força não for considerada credível; e se os nossos aliados não se mostrarem dispostos a agir — então muitos de nós acabarão, provavelmente e muito relutantemente, a apoiar a guerra que a administração Bush parece tão ansiosa por travar. Neste momento, contudo, há outras coisas a fazer, e ainda há tempo para as fazer. A guerra da administração Bush nem é justa, nem é necessária.

A via correcta
(Janeiro de 2003)

Há duas maneiras de nos opormos à guerra com o Iraque. A primeira é simples e errada; a segunda é correcta, mas difícil.

A primeira consiste em negar que o regime iraquiano é particularmente mau, que se encontra algures fora das leis dos estados normais, ou em defender que, por muito mau que seja, não levanta qualquer ameaça significativa aos seus vizinhos ou à paz mundial. É possível, apesar das negações de Saddam, que o seu governo esteja, de facto, a adquirir armas nucleares. Mas há outros governos que fazem exactamente a mesma coisa, e se, ou quando, o Iraque conseguir obter essas armas — continua o argumento — poderemos tratar do assunto por meio da dissuasão convencional, exactamente como os Estados Unidos e a União Soviética fizeram um em relação ao outro nos anos da Guerra Fria.

É óbvio que, se este argumento estiver correcto, não há qualquer razão para atacar o Iraque, como também não há qualquer razão para um sistema de inspecções enérgico, para o embargo actual ou para as zonas "não sobrevoáveis" do Norte e do Sul. Alguns dos organizadores dos movimentos anti-guerra que mais ruidosamente se manifestam, aqui e na Europa, adoptaram, ao que parece, exactamente esta posição. Têm tido uma presença extraordinariamente marcante entre os oradores nas grandes manifestações contra a guerra. A maioria dos manifestantes, penso eu, não defende esta primeira posição; nem a defende o grosso dos actuais e potenciais opositores à política estrangeira de Bush. Mas temos de reconhecer uma tentação constante da política anti-guerra: fazer de conta que do outro lado não existe, realmente, um inimigo sério.

Esta pretensão é de uma grande simplicidade, mas está completamente errada. A tirania e a brutalidade do regime iraquiano são largamente conhecidas e não é possível dar-lhes cobertura. A utilização que fez das armas químicas no passado recente; a implacabilidade das invasões do Irão e do Koweit; a retórica da ameaça e da violência que é agora norma em Bagdad; os dados dos anos 90, quando o trabalho dos inspectores das Nações Unidas foi constantemente prejudicado; a repressão cruel das rebeliões que se seguiram à guerra do Golfo, em 1991; a tortura e o assassinato dos adversários políticos — como é que tudo isto pode ser ignorado por um movimento político sério? Também ninguém se deve sentir confortável com a ideia de um Iraque dotado de armas nucleares e dissuadido de as utilizar. Não só não é evidente que a dissuasão funcione com um regime como o de Saddam, como também o sistema emergente da dissuasão será altamente instável. Porque envolverá não só os Estados Unidos e o Iraque; envolverá também Israel e o Iraque. Se o Iraque tiver autorização para construir armas nucleares, Israel terá de obter aquilo que de momento não possui: a capacidade de ripostar. E, nessa altura, haverá navios israelitas no Mediterrâneo e no Oceano Índico, equipados com armas nucleares e com sistemas de alerta altamente sensíveis. Talvez isto seja dissuasão "convencional", mas é loucura desejar uma coisa destas. O modo correcto de nos opormos à guerra é argumentar que o sistema actual de contenção e controlo está a funcionar e que se pode fazer com que funcione ainda melhor. Isto significa que devemos reconhecer quão terrível é o regime iraquiano e os perigos que representa e, depois, ter como objectivo lidar com estes perigos através de medidas coercivas que não sejam, ainda, a guerra, mas que dela estejam próximas. Mas não é fácil defender esta política porque sabemos exactamente quais as medidas coercivas que são necessárias e sabemos também quão onerosas são.

Primeiro, o embargo actual: este pode e deve ser afinado para permitir que entre no país uma gama mais vasta de produtos necessários à população civil, continuando, ao mesmo tempo, a excluir os abastecimentos militares e as tecnologias necessárias ao desenvolvimento de armas de destruição maciça. Mas, por muito "inteligentes" que sejam as sanções, continuarão a ser um bloqueio parcial e uma restrição forçada do comércio e, tendo em conta o modo como Saddam gasta os fundos de que dispõe, a vida dos cidadãos vulgares do Iraque não ficará, de forma nenhuma, facilitada. É justo dizer que estas dificuldades são da responsabilidade do governo, pois este poderia gastar o dinheiro de maneira diferente; mas isso não as torna mais suportáveis. Crianças mal-nutridas, hospitais sem medicamentos, taxas de longevidade em declínio: tudo isto é uma consequência (indirecta) do embargo.

Segundo, as zonas não-sobrevoáveis: impedir que os aviões iraquianos sobrevoem uma área equivalente a cerca de metade do país exige constantes voos de vigilância americanos, o que, por seu turno, exige bombardeamentos bi-semanais de instalações de radar e anti-aéreas. Até agora, ainda não se perdeu nenhum avião nem nenhum piloto e acredito que muito poucos civis foram mortos ou feridos durante os bombardeamentos. Mas não deixa de ser um assunto arriscado e caro e, se não é guerra, não anda muito longe disso. Por outro lado, se fosse deixada rédea solta a Saddam no Norte e no Sul, contra os curdos e os xiitas, o resultado seria, provavelmente, uma repressão tão brutal que justificaria, exigiria talvez até, uma intervenção militar com fins humanitários. E isso seria uma guerra em larga escala.

Terceiro, as inspecções das Nações Unidas: estas terão que continuar indefinidamente, como uma característica normal da paisagem iraquiana. Porque, quer os inspectores encontrem e desmantelem armas de destruição maciça quer não (algumas são muito fáceis de esconder), eles próprios são uma barreira à utilização dessas armas. Enquanto se deslocarem, livre e agressivamente, pelo país, obedecendo ao seu próprio calendário, o Iraque estará sob restrições cada vez maiores. Mas o regime de inspecções falhará, como falhou nos anos 90, a menos que haja uma disposição visível de utilizar a força para o apoiar. E isto significa que terá de haver tropas na vizinhança, tal como as tropas que o governo dos Estados Unidos está actualmente a deslocar para a zona. Seria melhor, evidentemente, se essas tropas não fossem só americanas. Mas, repito, uma disponibilidade deste tipo, manifestada por quem quer que seja, é cara e arriscada.

A defesa do embargo, os voos de vigilância americanos e as inspecções das Nações Unidas: é esta a via correcta de se opor a uma guerra e de a evitar. Mas suscita o contra-argumento de que uma guerra breve — que possibilitaria acabar com o embargo, com os bombardeamentos semanais e com o sistema das inspecções — seria moral e politicamente preferível a este "evitar". Uma guerra breve, um sistema renovado, um Iraque desmilitarizado, uma abundância de comida e de medicamentos a chegar aos portos iraquianos: não seria melhor do que um sistema permanente de coerção e de controlo? Bom, talvez. Mas quem pode garantir que a guerra seria breve e que as consequências, tanto na região como noutras partes do mundo, seriam limitadas?

Dizemos da guerra que esta é o "último recurso", por causa dos horrores imprevisíveis, inesperados, involuntários e inevitáveis que regularmente acarreta. De facto, a guerra não é o último recurso, porque "último" é uma condição metafísica que nunca é realmente atingida na via real: é sempre possível fazer algo mais, ou fazer de novo, antes de chegar àquilo — seja o que for — que vem por último. A noção de "último" é cautelar, mas esta cautela é necessária: há que procurar arduamente outras alternativas antes de "soltar os cães da guerra".

Neste momento, mesmo neste preciso minuto, ainda há alternativas, e este é o melhor argumento contra a entrada em guerra. Penso que é um argumento largamente aceite, embora não seja um argumento fácil para usar nas manifestações. Que havemos de escrever nos cartazes? Que palavras de ordem havemos de gritar? Precisamos de uma campanha complexa contra a guerra, cujos participantes estejam dispostos a reconhecer as dificuldades e os custos das suas políticas.

Ou, melhor dizendo, precisamos de uma campanha que não se centre unicamente na guerra (e que, eventualmente, sobreviva à guerra) — uma campanha a favor de um sistema internacional forte, organizado e concebido para acabar com a agressão, para pôr fim aos massacres e à limpeza étnica, para controlar as armas de destruição maciça e para garantir a integridade física de todos os povos do mundo. A tripla restrição imposta ao regime de Saddam é apenas um exemplo, mas um exemplo muito importante, do modo como um sistema internacional deste tipo poderia funcionar.

Mas um sistema internacional tem de ser obra de muitos estados diferentes, não de um único estado. Tem de haver muitos agentes prontos a assumir a responsabilidade do sucesso do sistema e não apenas um. Hoje em dia, o sistema de inspecções das Nações Unidas está instalado no Iraque apenas devido àquilo a que muitos americanos, liberais e esquerdistas, e também muitos europeus, chamaram uma ameaça irresponsável de entrar em guerra proferida pelos Estados Unidos. Sem essa ameaça, porém, os negociadores das Nações Unidas ainda estariam em conversações balbuciantes com os negociadores iraquianos, a debater, sem nunca chegarem a um acordo final, os pormenores de um sistema de inspecções; os inspectores não estariam sequer ainda na fase de fazer as malas (e muitos dos dirigentes da Europa pretenderiam que isto era uma boa coisa). Há, entre nós, quem se sinta embaraçado ao compreender que a ameaça a que nos opomos é a principal razão da existência de um sistema de inspecções aguerrido, e a existência de um sistema de inspecções aguerrido é hoje o melhor argumento contra a entrada em guerra.

Teria sido muito melhor se a ameaça dos Estados Unidos não tivesse sido necessária — se, por exemplo, a ameaça tivesse sido feita pela França e pela Rússia, os principais parceiros comerciais do Iraque, cuja falta de vontade de confrontar Saddam e de dar algum músculo ao projecto das Nações Unidas foi uma causa importante do fracasso das inspecções nos anos 90. É isto que o internacionalismo exige: que outros estados, para além dos Estados Unidos, assumam a responsabilidade pelos princípios globais do direito e que estejam dispostos a agir, política e militarmente, com este objectivo em vista.

Os internacionalistas americanos — e somos bastantes, embora não suficientes — precisam de criticar os impulsos unilateralistas da administração Bush e a sua recusa de cooperar com outros estados sobre todo um leque de questões, desde o aquecimento global até ao Tribunal Internacional de Justiça. Mas o multilateralismo exige ajuda de fora dos Estados Unidos. Seria mais fácil defendermos o nosso ponto de vista se fosse claro que outros agentes na sociedade internacional eram capazes de agir independentemente e, se necessário, de recorrer à força, dispostos a assumir as responsabilidades por aquilo que fazem em locais como a Bósnia, ou o Ruanda, ou o Iraque. A nossa campanha contra uma segunda guerra do Golfo deveria ser também uma campanha por este tipo de responsabilidade multilateral. E isto significa que temos exigências a apresentar, não só a Bush e Companhia, mas também aos dirigentes da França e da Alemanha, da Rússia e da China que, embora recentemente tenham apoiado a continuação e o alargamento das inspecções, também se mostraram dispostos, em diferentes ocasiões no passado, a aplacar Saddam. Se esta guerra evitável acabar por ser travada, todos eles partilharão responsabilidades com os Estados Unidos. Quando a guerra terminar, todos eles terão de prestar contas.

O que uma pequena guerra poderia fazer
(Março de 2003)

Os Estados Unidos estão a avançar para a guerra como se não houvesse outra alternativa. A julgar pela conferência do Presidente Bush na noite passada [6 de Março], parece que o governo não tem uma estratégia de saída nem planos de contingência para interromper este avanço. Os nossos dirigentes criaram uma situação em que qualquer inexistência de combate contaria como uma vitória para Saddam Hussein e Jacques Chirac.

Seria esta vitória pior do que a própria guerra? É possível, no caso de servir apenas para adiar a guerra. Os franceses reivindicariam que tinham salvo a paz; Saddam Hussein declararia que tinha derrotado o esforço americano para o derrubar. Mas, nessa altura, o que acabaria por acontecer é que os Estados Unidos teriam de lutar em condições mais duras contra um Iraque mais forte.

O avanço americano é deprimente, mas a impossibilidade, por parte dos que se opõem à guerra, de apresentar uma alternativa plausível é igualmente deprimente. A França e a Rússia subiram indubitavelmente a fasquia diplomática na quarta-feira passada, quando ameaçaram vetar a resolução do Conselho de Segurança de autorizar o uso da força no Iraque. Mas, mais uma vez, não conseguiram acompanhar a retórica com algo de substancial.

Como seria uma alternativa plausível? A via para evitar uma guerra grande é intensificar a guerra pequena que os Estados

Unidos já estão a travar. É utilizar a força contra o Iraque todos os dias — proteger as zonas não-sobrevoáveis e deter e inspeccionar os navios que se dirigem para portos iraquianos. Só a ameaça americana de recorrer à força torna as inspecções possíveis — e, possivelmente, eficazes.

Quando os franceses reivindicam que a força é um "último recurso" estão a negar que a guerra pequena está a ser travada. E, de facto, a França não está a participar nela de uma forma minimamente significativa. A guerra pequena é praticamente obra das forças americanas e britânicas; aqueles que se opõem à guerra grande não estavam preparados para apoiar, participar ou até reconhecer o trabalho exigido pela pequena guerra.

Mas o Senhor Bush podia pôr cobro ao avanço americano para a guerra grande se desafiasse a França (e os alemães e os russos) a participar na guerra pequena. O resultado não seria uma vitória do Senhor Hussein, nem do Senhor Chirac, e garantiria o enfraquecimento gradual do regime iraquiano.

Portanto, aqui temos uma estratégia de saída para a administração Bush. Não a pediram, mas precisam dela. Em primeiro lugar, expandir as zonas não-sobrevoáveis do Norte e do Sul a fim de cobrir o país inteiro. A América já restringiu drasticamente a soberania iraquiana, portanto isto não seria nada de novo. Existem razões militares para esse alargamento — o raio de acção dos mísseis, a velocidade dos aviões, o alcance dos radares tornam difícil, para os Estados Unidos e para a Grã-Bretanha, defender as regiões Norte e Sul do Iraque sem controlar o espaço aéreo central. Mas a razão principal seria punitiva: o Iraque nunca aceitou o regime de restrições instaurado depois da guerra do Golfo e a sua recusa em aceitá-lo deveria levar a restrições cada vez mais rigorosas.

Em segundo lugar, impor as "sanções inteligentes" de que a administração Bush falava antes do 11 de Setembro e insistir para que os parceiros comerciais do Iraque se comprometam a aplicá-las. Washington deveria anunciar as suas próprias sanções contra os países que não cooperam, assim como deveria punir quaisquer empresas que tentem vender equipamento militar ao Iraque.

Em terceiro lugar, os Estados Unidos deviam alargar o sistema de monitorização das Nações Unidas de todas as formas que foram recentemente propostas: aumentar o número de inspectores, trazer para o terreno soldados das Nações Unidas (a fim de vigiar as instalações militares depois de estas terem sido inspeccionadas), recorrer a aviões de vigilância sem uma notificação prévia de 48 horas, etc.

Finalmente, os Estados Unidos deveriam desafiar a França a provar a veracidade do seu discurso — que diz que a força é, de facto, o ultimo recurso —, mobilizando as suas próprias tropas e enviando-as para o Golfo. Se assim não for, aquilo que estão a dizer é que se as coisas ficarem muito más desencadearão o ataque americano. E Saddam Hussein sabe que os franceses nunca admitirão que as coisas estão assim tão más. Portanto, se os franceses forem sérios, terão de criar uma ameaça própria credível. Ou, melhor, têm de juntar-se aos Estados Unidos em todas as vertentes da pequena guerra.

Se uma proposta americana deste tipo viesse a obter um forte apoio internacional, se houvesse um verdadeiro compromisso de apoiar a pequena guerra durante o tempo que fosse necessário, não haveria boas razões que justificassem a guerra grande. O avanço das tropas poderia ser detido com segurança.

Então, será isto uma guerra justa?
(Março de 2003)

Então, será isto uma guerra justa? A pergunta é de um tipo muito específico. Não se pergunta se a guerra é legítima ao abrigo da legislação internacional, nem se é, política ou militarmente, correcto travá-la agora (ou alguma vez). Pergunta-se apenas se é moralmente defensável: justa ou injusta? Deixo para outrem as questões da lei e da estratégia.

A guerra de Saddam era injusta, apesar de não ter sido ele a declarar a guerra. Não está a defender o seu país contra um exército conquistador; está a defender o seu regime que, considerando a sua história de agressões no estrangeiro e de brutal repressão a nível interno, não tem legitimidade moral; está a resistir ao desarmamento do seu regime, que foi ordenado (embora não aplicado) pelas Nações Unidas. Esta é uma guerra que ele poderia ter evitado aceitando, simplesmente, os pedidos dos inspectores da ONU — ou, finalmente, aceitando o exílio, para o bem do seu país. É certo que a autodefesa é o caso paradigmático da guerra justa, mas o "auto" em questão deverá ser um "auto" colectivo e não o de uma pessoa individual, nem de uma clique tirânica desesperadamente agarrada ao poder, seja qual for o preço a pagar pelas pessoas vulgares.

A guerra da América é injusta. Embora o desarmamento do Iraque seja um objectivo legítimo, moral e politicamente, é um objectivo que poderíamos certamente ter atingido sem recorrer à guerra em larga escala. Sempre resisti ao argumento de que a força é um último recurso, porque a ideia de "último" é muitas vezes, como os franceses demonstraram no Outono e no Inverno passados, uma simples desculpa para adiar indefinidamente o uso da força. Mas a força era necessária em todos os aspectos do regime de restrições que era a única alternativa real à guerra — e era necessária desde o início. A força não é uma questão de "tudo ou nada" e não é uma questão de "primeiro ou último" (ou de "agora ou nunca"): a sua utilização tem de ser oportuna e proporcional. Nesta altura, a ameaça que o Iraque representava podia ter sido resolvida com algo menor do que a guerra que estamos agora a travar. E uma guerra travada antes do seu tempo não é uma guerra justa.

Mas, agora que estamos em guerra, espero que vençamos e que o regime do Iraque se desmorone rapidamente. Não vou manifestar-me contra a guerra enquanto Saddam ainda estiver no poder, porque isso reforçaria a sua tirania no país e transformá-lo--ia, mais uma vez, numa ameaça a todos os seus vizinhos. O meu argumento contra os manifestantes anti-guerra decorre da justiça relativa de dois desfechos possíveis: ou uma vitória americana, ou

algo que não chega a ser uma vitória e que Saddam pode considerar uma vitória própria. Mas, perguntarão alguns dos manifestantes: o primeiro desses desfechos não provaria o desastre da diplomacia da administração Bush que levou à guerra? Sim, poderia provar mas, por outro lado, o segundo desfecho provaria que
a diplomacia dos franceses que rejeitaram todas as oportunidades de conseguir uma alternativa à guerra era igualmente desas-
trosa. E, mais uma vez, reforçaria o poder de Saddam.

Mas mesmo as pessoas que foram contra a entrada em guerra
podem insistir que esta seja travada de acordo com os dois compromissos fulcrais, assumidos pela administração Bush. Primeiro,
que se façam todos os possíveis para evitar, ou reduzir, as baixas
civis: este é o requisito central do *jus in bello* "justiça na guerra",
que todos os exércitos, em todas as guerras, são obrigados a cumprir, seja qual for o estatuto moral da guerra em si. Segundo, que
se façam todos os possíveis para garantir que o regime pós-Saddam
seja um governo do, pelo e para o povo iraquiano: esta é a exigência fundamental daquilo a que se pode chamar *jus post bellum* —
a parte menos desenvolvida da teoria da guerra justa mas, obviamente, da maior importância nos dias de hoje. A democracia
pode ser uma aspiração utópica, tendo em conta a história do Iraque e da política estrangeira dos Estados Unidos na última metade do século passado; não é, evidentemente, fácil imaginar poder
construí-la. Mas é fácil imaginar em Bagdad algo melhor do que o
partido Baas, e temos a obrigação moral de procurar um entendi-
mento político que tenha em conta os curdos e os xiitas, por muitos problemas que isto acarrete.

A crítica ao unilateralismo americano deveria centrar-se, por
agora, no esforço para conseguir um desfecho justo para esta segunda guerra do Golfo. E o mesmo deveria acontecer com a crítica
da irresponsabilidade europeia. Os Estados Unidos precisarão de
ajuda no Iraque (tal como precisávamos, e ainda precisamos, de
ajuda no Afeganistão) e isto levanta, de imediato, duas questões:
estamos dispostos a pedir a outros países, ou às Nações Unidas
como seu representante, que desempenhem um papel significativo

na reconstrução política e económica do Iraque? E a França, a Alemanha e a Rússia estarão dispostas a desempenhar tal papel, que significa assumir responsabilidades, juntamente connosco, em busca de um resultado digno? Esses três países não se mostraram dispostos a assumir responsabilidades quanto a um regime de restrições sério, antes da guerra. E também nós não nos mostrámos dispostos a apelar à sua participação num regime deste tipo. Empenhámo-nos demasiado cedo na guerra; eles empenharam-se, durante todo o tempo, no apaziguamento. Um esforço cooperativo para dar ao Iraque decência política e para ajudar a reconstruir a economia do país pode começar a criar o terreno intermédio em que se pode enraizar o multilateralismo.

E, então, poderemos começar a debruçar-nos sobre a posição da administração Bush em relação ao ambiente, sobre a sua oposição ao Tribunal Internacional de Justiça, sobre o seu cancelamento do tratado sobre a proibição dos ensaios nucleares, sobre a sua exigência de ser um poder hegemónico incontestável, e...

Ocupações justas e injustas
(Novembro 2003)

Como se relaciona a justiça pós-guerra com a justiça da guerra em si e da condução das suas batalhas? Esta questão adquire uma urgência particular no Iraque, mas seria da maior importância mesmo sem o Iraque. Parece claro que se pode travar uma guerra justa, combater com justiça e, apesar disso, estragar tudo no rescaldo da guerra — instaurando um regime satélite, por exemplo, ou procurando vingar-se nos cidadãos do estado derrotado (agressor) ou, depois de uma intervenção humanitária, não ajudando as pessoas que foram salvas a reconstruir as suas vidas. Mas será possível também o caso oposto: travar uma guerra injusta e criar depois uma ordem política decente no pós-guerra? É mais difícil imaginar esta possibilidade, já que as guerras de conquista são injustas *ad bellum* e *post bellum,* antes e depois, e o mesmo acontece, presumivelmente, com as guerras de expansão económica. Ambas estas guerras são actos de rapina — de soberania, território ou recursos — e assim terminam com bens crucialmente importantes nas mãos erradas. Mas uma intervenção militar mal orientada, ou uma guerra preventiva travada antes de tempo, pode, apesar de tudo, terminar com o derrube de um regime brutal e a instauração de um regime digno. Ou uma guerra injusta de ambos os lados pode resultar num acordo, negociado ou imposto, que é justo para ambos e permite a instauração de uma paz estável entre eles. Duvido que um acordo deste tipo justificasse, retrospectivamente, a guerra (no segundo caso, que guerra justificaria?) mas poderia, apesar de tudo, ser justo em si mesmo.

Se este argumento estiver correcto, então necessitamos de critérios para o *jus post bellum* diferentes (embora não totalmente independentes) daqueles de que nos servimos para julgar a guerra e a sua condução. Temos de conseguir discutir o rescaldo da guerra como se se tratasse de um dado novo — porque, embora muitas vezes não o seja, poderia sê-lo. A guerra do Iraque é um caso paradigmático. O debate americano — combater ou não combater — não parece particularmente relevante no que toca às questões críticas no debate sobre a ocupação: quanto tempo permanecer, quanto gastar, quando começar a transferir o poder — e, finalmente, quem deve responder a estas questões. As posições que assumimos antes da guerra não determinam as posições que tomamos, ou deveríamos tomar, sobre a ocupação. Algumas pessoas que se opõem à guerra exigem que "as tropas regressem" a casa imediatamente. Mas outras defendem, e correctamente, na minha opinião, que, depois de termos travado a guerra, somos responsáveis pelo bem-estar do povo iraquiano; temos de disponibilizar os recursos — soldados e dólares — necessários à garantia da sua segurança e de começar a reconstrução política e económica do seu país. Outras, ainda, defendem que o pós-guerra tem de ser gerido por agências internacionais, como o Conselho de Segurança das Nações Unidas, com os contributos de muitos países que não participaram minimamente na guerra. Mas então, os dirigentes destes países perguntarão: por que razão havemos de ser responsáveis pelos seus custos?

Pense-se o que se pensar destes pontos de vista diferentes, o seu debate exige que se tome em consideração a justiça do pós-guerra. A teoria política democrática, que desempenha um papel relativamente secundário nos nossos argumentos sobre *jus ad bellum* e *in bello,* fornece os princípios centrais desta consideração, que incluem a autodeterminação, a legitimidade popular, os direitos civis e a ideia de um bem comum. Queremos que as guerras terminem com os governos que estão no poder nos estados derrotados e que estes sejam escolhidos pelo povo que governam — ou, pelo menos, reconhecidos por ele como legítimos — e que estejam visivelmente empenhados no bem-estar desse mesmo povo (na sua totalidade). Queremos que as minorias sejam protegidas da perseguição, os estados vizinhos protegidos das agressões, os mais pobres protegidos da miséria e da fome. No Iraque, subimos (oficialmente) mais ainda a fasquia — um Iraque inteiramente democrático e federalista. Mas a justiça do pós-guerra talvez se entenda melhor de uma forma minimalista. Não é que os vencedores da guerra tenham conseguido um sucesso assim tão grande só por atingirem os mínimos.

O calendário para a autodeterminação depende muitíssimo do carácter do regime anterior e da extensão da sua derrota. Depois da derrota da Alemanha, na Segunda Guerra Mundial, houve uma ocupação militar que durou quatro anos, durante a qual muitos dirigentes nazis foram levados a tribunal e se instituiu uma "desnazificação" geral. Não acredito que qualquer uma das potências aliadas tenha desejado uma transferência precoce da soberania para o povo alemão. Foi consensual que os estados vizinhos e todas as vítimas do nazismo, a nível interno e externo, tinham direito a isto: a que o novo regime da Alemanha fosse, definitivamente, pós-nazi. Podemos defender uma transferência do poder muito mais rápida no Iraque, já que uma larga maioria da população, os curdos no Norte e os xiitas no Sul, não foram cúmplices da tirania baasista, que parece ter tido uma base de apoio estritamente regional e sectária. Mas o regime tirânico continua a ser defendido a partir desta base, o que significa que a "desbaasificação" continua a ser um processo político-militar necessário para que os iraquianos que participarem numa sociedade aberta (o que esperamos venha a acontecer), que formarem associações civis, que aderirem a partidos ou a movimentos, não o façam por medo de uma restauração.

Não parece que tenhamos pensado muito sobre este processo antes da guerra, nem que o tenhamos posto em prática, até agora, de uma forma que revele minimamente a necessária compreensão da política ou da história do Iraque. Qual é a relação das ocupações programadas e não-programadas com as ocupações justas e injustas? É evidente que as potências ocupantes estão moralmente obrigadas a pensar seriamente naquilo que vão fazer num país que pertence a outro povo. Foi neste teste moral que, como é óbvio, nós não conseguimos passar.

Mas aquilo que determina a justiça global de uma ocupação militar é menos a sua programação ou a sua duração do que a sua orientação política e a distribuição dos benefícios que proporciona. Se a sua tendência for delegar poderes aos locais e se os seus benefícios forem distribuídos em larga escala, então é possível considerar o poder ocupante como justo. Se os ocupantes se agarrarem ao poder com ambas as mãos e se os procedimentos e motivações para a tomada de decisões forem escamoteados, se os recursos acumulados para a ocupação acabarem nas mãos de companhias estrangeiras e de favoritos locais, então a ocupação é injusta. É provavelmente mais fácil julgar as coisas no *post bellum* do que no calor da batalha; de qualquer forma, devo explicar esta posição.

Uma ocupação justa custa dinheiro; não traz dinheiro. É claro que o exército de ocupação, como qualquer outro exército, atrairá uma série de seguidores; são os necrófagos da guerra, os que, nas suas margens, se vão aproveitando. No caso iraquiano, contudo, o Presidente Bush e os seus consultores parecem empenhados em aproveitar-se no centro. Alegam estar a levar a democracia ao

Iraque, e todos temos de esperar que consigam fazê-lo. Mas, com muito maior velocidade e eficácia, o que levaram para o Iraque foi o capitalismo dos amigalhaços que agora domina Washington. E isto reduz a legitimidade da ocupação e põe em perigo os seus alegados objectivos democráticos.

A distribuição de contratos a companhias americanas da mesma cor política é um escândalo. Mas faria alguma diferença se as Nações Unidas distribuíssem contratos a empresas francesas, alemãs ou russas, também politicamente conotadas? Em ambos os casos tem de haver alguém que controle o comportamento das empresas — não só a sua honestidade e eficiência mas também a sua vontade de dar trabalho e de, gradualmente, ir cedendo a autoridade a gestores e técnicos iraquianos competentes. Uma Agência Internacional, com provas dadas no que toca à imparcialidade, seria o melhor, mas até mesmo uns supervisores americanos, mandatados pelo Congresso, seria melhor do que a ausência total de supervisores. A combinação de unilateralismo e de *laissez faire* é uma receita infalível de desastre.

Uma ocupação multilateral seria melhor do que o regime unilateralista que instaurámos — sem dúvida em termos de legitimidade, e provavelmente em termos de eficiência — mas, no momento em que escrevo, não me parece que tal seja uma perspectiva muito próxima. É fácil e correcto defender um papel de autoridade para as Nações Unidas, mas este argumento só é plausível se as Nações Unidas conseguirem mobilizar os recursos que lhes permitam ocupar-se do Iraque tal como ele se encontra hoje. Os países que forneceriam os recursos insistem, contudo, que dado que esta foi uma guerra americana, deve ser a América a suportar os custos da ocupação — e também da reconstrução política e económica. Esta guerra, dizem, foi uma escolha política e moralmente desnecessária, e as escolhas deste tipo têm de englobar tudo: a guerra e o seu rescaldo, com todos os encargos atinentes. O argumento é forte; muitos dos críticos da guerra invocaram-no, até mesmo antes do início dos combates. *Jus post bellum* não pode ser totalmente independente do *jus ad bellum*. A distribuição dos custos do desfecho da guerra está necessariamente relacionada com o carácter moral da guerra. Mas continua a haver razões para advogar uma independência parcial entre ambos e, em seguida, uma distribuição mais alargada dos encargos da reconstrução do Iraque.

Seja qual for a pré-história da realização de um Iraque estável e democrático, mesmo um Iraque relativamente estável e mais ou menos democrático seria já uma boa coisa para o Médio Oriente em geral, para a Europa e para o Japão e (se estas se envolvessem nessa realização) para as Nações Unidas. Tendo em conta os benefícios prováveis, porque não haveria a comunidade internacional de contribuir para os custos de uma ocupação cuja justiça poderia então garantir? Se a União Europeia tivesse uma maior consciência das suas responsabilidades globais, se os estados que a constituem estivessem realmente interessados em modificar o comportamento americano (em vez de se limitarem a queixar-se dele) poderiam dar o seu contributo. Mas isto não vai acontecer. Os europeus querem partilhar a autoridade sem partilhar os custos; a administração Bush quer partilhar os custos sem partilhar a autoridade. É possível imaginar um compromisso improvisado mas não uma cooperação séria. Trata-se de posições opostas mas igualmente indefensáveis, e o resultado desta oposição é uma confirmação, pura e simples, do unilateralismo americano.

Assim, a justiça da ocupação depende dos cidadãos dos Estados Unidos. São estes os testes aos quais a administração Bush tem de ser submetida e em que nós temos de insistir: primeiro, a administração tem de estar disposta a gastar o dinheiro necessário à reconstrução; segundo, tem de se empenhar na "desbaasificação" e na protecção igual dos diferentes grupos étnicos e religiosos do Iraque; terceiro, tem de estar preparada para ceder o poder ao governo iraquiano legítimo e genuinamente independente — que até podia, se fosse esse o resultado dos concursos internacionais, entregar os contratos do petróleo a companhias europeias e não americanas.

Acontece, por vezes, que ocupar é mais difícil do que combater.

TERCEIRA PARTE

FUTUROS

12. Governar o globo (2000)

Imagine-se as disposições políticas possíveis de uma sociedade internacional como se elas estivessem ao longo de um *continuum,* dividido conforme o grau de centralização. É evidente que existem divisões alternativas; o reconhecimento e a aplicação dos direitos humanos também se podem medir ao longo de um *continuum,* assim como a democratização, a previdência social, o pluralismo, etc. Mas focarmo-nos na centralização é a forma mais rápida de chegar às questões chave, em termos políticos e morais, e sobretudo à questão clássica: qual é o melhor regime, ou o melhor regime possível? Que objectivos constitucionais deveríamos querer alcançar numa era de globalização?

O meu plano é apresentar possíveis regimes, ou constituições, ou sistemas políticos. Fá-lo-ei de uma maneira discursiva, sem fornecer antecipadamente uma lista, mas quero listar os critérios em relação aos quais os sete sistemas têm de ser avaliados. São eles: a capacidade destes sistemas de promover a paz, a justiça distributiva, o pluralismo cultural e a liberdade individual. No âmbito deste ensaio terei de me debruçar sumariamente sobre alguns dos sistemas e alguns dos critérios. Dado que os critérios acabam por não ter coerência entre si — ou estão, pelo menos, em tensão entre si —, a minha argumentação será complicada, mas podia e deveria sem dúvida sê-lo muito mais.

É melhor começarmos pelos dois extremos do *continuum,* para que as suas dimensões sejam imediatamente visíveis. De um dos lados, digamos do lado esquerdo (embora mais adiante aponte algumas dúvidas quanto a esta designação) está um estado global unificado, algo semelhante à "república mundial" de Immanuel Kant, com um grupo único de cidadãos idêntico ao grupo dos seres humanos adultos, todos eles dotados dos mesmos direitos e obrigações. Esta é a forma que assumiria a centralização máxima: cada indivíduo, cada pessoa neste mundo, estaria ligado directamente ao centro. Um império global, em que uma nação governasse todas as outras, funcionaria igualmente a partir de um centro único mas, na medida em que os dirigentes estabeleceriam diferenças entre a nação dominante e todas as outras, e talvez até também entre cada uma das outras, esse facto introduziria uma modulação nesse carácter centralizado. A centralização do estado global, em contrapartida, não tem qualquer modulação. Seguindo o argumento de Thomas Hobbes, em *Leviathan,* quero dizer que um estado desses pode ser uma monarquia, uma oligarquia ou uma democracia; a sua unidade não é afectada pelas suas características políticas. Em contrapartida, a unidade é evidentemente afectada por quaisquer divisões raciais, religiosas ou étnicas, quer estas sejam de natureza hierárquica — como no exemplo imperial que estabelece desigualdades significativas entre os grupos — quer meramente funcionais ou regionais. Qualquer percepção política de diferença faz-nos avançar para o lado direito do *continuum,* tal como eu o imaginei.

No extremo direito situa-se o regime, ou a ausência-de-regime, a que os teóricos políticos chamam "anarquia internacional". Esta expressão descreve aquilo que é, na realidade, um mundo altamente organizado mas radicalmente descentrado. As organizações são estados soberanos individuais e não há nenhuma lei real que os vincule a todos. Não existe uma autoridade global, nem um procedimento para a determinação de políticas, nem uma jurisdição legal que englobe soberanos e cidadãos. Mais ainda (visto que quero descrever uma situação extrema), não existem grupos mais pequenos de estados que tenham aceite uma legislação comum e se submetam à execução dessa legislação por agências internacionais; não existem organizações estáveis de estados que elaborem políticas comuns sobre, por exemplo, questões ambientais, controlo de armas, normas laborais, movimento de capitais ou qualquer outro assunto de interesse geral. Os estados soberanos negoceiam entre si, na base dos seus "interesses nacionais", estabelecem acordos e assinam tratados, mas os tratados não podem ser executados por terceiros. Os dirigentes do estado vigiam-se uns aos outros com ansiedade e reagem à política uns dos outros, mas, em todos os outros sentidos, os centros de tomada de decisões políticas são independentes; cada estado age sozinho. Este não é um relato da nossa própria situação; não estou a descrever o mundo tal qual ele é em 2000. Mas é óbvio que estamos mais perto do lado direito do *continuum* do que do lado esquerdo.

A estratégia deste ensaio visa afastar-nos dos dois extremos. Avançarei para o centro, mas a partir de direcções opostas, de forma a deixar claro que não estou a descrever uma história desenvolvimentista ou progressiva. Os diferentes regimes ou sistemas são tipos ideais, não são exemplos históricos. E não estou a concluir antecipadamente que o melhor regime se situa no centro, digo apenas que não se encontra nos extremos. E mesmo isto precisa de ser justificado; de forma que mais vale fazer de imediato as perguntas gémeas: qual é o problema com a centralização radical? Qual é o problema com a anarquia? A segunda pergunta é mais fácil porque está mais perto da nossa própria experiência. A anarquia leva regularmente à guerra — e a guerra à conquista, a conquista ao império, o império à opressão, a opressão à revolta e à secessão, e a secessão de novo à anarquia e à guerra. A viciosidade do círculo é continuamente reforçada por desigualdades de riqueza e de poder entre os estados envolvidos e pelas oscilações dessas desigualdades (que dependem dos padrões comerciais, do desenvolvimento tecnológico, das alianças militares, etc.). Tudo isto conduz à insegurança e ao temor, não só entre os governantes mas também entre os cidadãos vulgares de todos estes estados, e a insegurança e o medo são, como diz Hobbes, a principal causa da guerra.

Mas por muito anárquica que fosse uma sociedade internacional, constituída unicamente por estados que fossem repúblicas, seria arrastada para dentro do mesmo círculo? Kant diz que os cidadãos republicanos estariam muito menos dispostos a aceitar os riscos da guerra do que os reis a impor esses riscos aos seus súbditos — o que seria muito menos ameaçador para os vizinhos (*Paz Perpétua,* Primeiro Artigo Definitivo). Vemos, na verdade, provas desta indisposição nas democracias contemporâneas, embora ela nem sempre tenha sido tão forte quanto é hoje. Ao mesmo tempo, hoje em dia ela é modulada pelo desejo de utilizar as tecnologias militares mais avançadas — que, de facto, não põem os seus utilizadores em risco, embora imponham custos muito elevados aos seus alvos. Pode, pois, acontecer, como sugere a guerra do Kosovo, que as democracias modernas não cumpram as expectativas pacíficas de Kant. Travarão guerras, só que não o farão no terreno.

Alguns cientistas políticos contemporâneos têm apresentado um argumento bastante diferente: as repúblicas democráticas, pelo menos nos tempos modernos, não lutam *umas com as outras.* Mas se isto é verdade, tal deve-se em parte ao facto de terem tido inimigos comuns e de terem estabelecido formas multilaterais de cooperação e coordenação, alianças de segurança mútua que mitigam a anarquia das suas relações. Avançaram, por assim dizer, ao longo do *continuum,* para o lado esquerdo.

Mas não quero descartar a anarquia internacional sem dizer algumas palavras sobre as suas vantagens. Apesar dos acasos da desigualdade e da guerra, o estado soberano é uma forma de proteger diferentes culturas históricas, nacionais às vezes, outras vezes de carácter étnico/religioso. A paixão com que as nações sem estado anseiam por este estatuto e o carácter apaixonado dos movimentos de libertação reflectem as sombrias realidades do século XX, das quais é necessário retirar conclusões morais e políticas para o século XXI. O poder soberano é um instrumento de auto-protecção e a ausência deste instrumento é muito perigosa. Assim, *moralmente falando,* a forma máxima de descentralização seria uma sociedade global em que cada grupo nacional ou étnico/religioso que precisasse de protecção possuísse um poder soberano real. Mas pelas razões que todos conhecemos, e que têm a ver com a necessária extensão territorial da soberania, com a composição das populações no terreno e com a distribuição desigual dos recursos naturais, superficiais e subterrâneos, dividir o mundo desta forma levaria (e levou) a resultados sangrentos. E quando a guerra começa, as divisões que daí resultam têm poucas probabilidades de serem justas ou estáveis.

Os problemas, no outro extremo do *continuum,* são de um tipo diferente. A guerra convencional seria impossível num estado global radicalmente centralizado, porque os seus agentes teriam desaparecido e todos os motivos para entrar em guerra teriam deixado de funcionar: as diferenças étnicas e religiosas, os diferentes interesses nacionais e até mesmo qualquer tipo de interesse local, teriam perdido a sua importância política. A diversidade estaria radicalmente privatizada. Em princípio, pelo menos, o estado global seria constituído, única e inteiramente, por indivíduos autónomos, livres, dentro dos limites do direito penal, de escolher os seus próprios projectos de vida.

Na prática, contudo, é extremamente improvável que este princípio constitutivo prevaleça e os tipos ideais não deviam ser tipos ficcionais; têm de se adequar a uma realidade imaginável. Não é plausível que os cidadãos de um estado global sejam, para além das escolhas livres que fazem, todos exactamente iguais uns aos outros, tendo desaparecido (no decorrer da formação do estado) todas as diferenças colectivas e herdadas que explicam a rivalidade e a desconfiança de hoje. É evidente que persistiriam diferentes visões sobre o modo como deveríamos viver; e estas visões encarnariam em formas de vida, culturas históricas e religiões que suscitariam fortes lealdades e buscariam uma expressão pública. Por isso permitam que volte a descrever o estado global. Muitos e variados grupos continuariam a influenciar de forma significativa a vida dos seus membros, mas a sua existência seria largamente ignorada pelas autoridades centrais; os interesses particularistas seriam descartados; as exigências da expressão pública de divergências culturais seriam rejeitadas.

A razão desta rejeição é fácil de explicar: o estado global seria muito semelhante aos estados actuais, só que numa escala muitíssimo maior. Para que pudesse sobreviver ao longo do tempo, também ele teria de exigir a lealdade dos seus cidadãos e exprimir uma cultura política que fosse distintamente sua. Teria de parecer legítimo aos olhos do mundo inteiro. Considerando esta necessidade, não vejo como é que esse estado global poderia aceitar coisas como aquele leque de diferenças culturais e religiosas que vemos hoje à nossa volta. Mesmo um estado global empenhado na tolerância veria a sua capacidade de aceitação limitada pelo seu compromisso prévio para com aquilo a que eu chamo "globalismo", quer dizer, um domínio centralizado sobre o mundo inteiro. Porque muitas culturas, e a maioria das religiões ortodoxas, só podem sobreviver se lhes forem permitidos graus de autonomia que são incompatíveis com o globalismo. E, assim, a sobrevivência destes grupos estaria em risco sob a tutela do estado global e ser-lhes-ia impossível manter e transmitir o seu modo de vida. É assim que interpreto o alerta de Kant que diz que uma constituição cosmopolita poderia levar a "um despotismo aterrador" (*Teoria e Pratica,* parte III) — o perigo é menor para os indivíduos do que para os grupos. O regime mais genuíno de tolerância global teria que dar espaço às autonomias culturais e religiosas, mas isso implicaria uma deslocação para a direita, no *continuum.*

Mais uma vez, porém, quero reconhecer as vantagens que existem no extremo esquerdo do *continuum*, embora, neste caso, elas sejam mais hipotéticas do que reais, pois temos menos experiência da centralização do que da anarquia. Mas podemos generalizar a partir da história dos estados centralizados, e sugerir que a justiça distributiva global ficaria mais bem servida por um governo forte, capaz de criar padrões universais de trabalho e benefícios sociais, e de desviar recursos dos países mais ricos para os países mais pobres. É claro que a vontade de levar a cabo reformas igualitárias poderia muito bem estar ausente da república mundial — tal como acontece hoje em dia em muitos estados soberanos. Mas pelos menos a capacidade existiria; a Comunidade Europeia (CE) oferece alguns exemplos modestos, mas não insignificantes, da redistribuição que um poder centralizado torna possível.

Ao mesmo tempo, porém, a força de um centro único arrasta consigo a ameaça da tirania.

Avancemos agora um passo para o centro, a partir do lado esquerdo do *continuum*, o que nos leva a um regime global que tem a forma de uma *pax romana*. Trata-se de um regime centralizado através da hegemonia de uma grande potência única sobre as potências menores da sociedade internacional. Esta hegemonia mantém a paz mundial, mesmo que haja rebeliões intermitentes, e consegue fazê-lo permitindo ainda uma certa independência cultural — talvez de uma forma semelhante à do sistema *millet* otomano, ao abrigo do qual diferentes grupos religiosos obtiveram uma autonomia legal parcial. A autonomia não é segura porque o centro pode, em qualquer altura, cancelá-la; e não tem necessariamente os contornos que um determinado grupo mais desejaria. Não é negociada entre pares, mas garantida aos fracos pelos poderosos. Contudo, os esquemas deste tipo representam o regime mais estável de tolerância conhecido na história mundial. Os dirigentes do império reconhecem o valor (pelo menos o valor cautelar) da autonomia de um grupo e este reconhecimento funciona muito eficazmente no que toca à sobrevivência do grupo. Mas os dirigentes não reconhecem, evidentemente, os cidadãos individuais como participantes no governo do império, não protegem os indivíduos dos seus próprios grupos e não têm, como objectivo, uma distribuição equitativa dos recursos, nem a grupos, nem a indivíduos. A hegemonia imperial é uma forma de desigualdade política que vulgarmente leva a novas desigualdades na vida económica e social em geral.

Tenho de ter cuidado ao escrever sobre o governo imperial porque sou cidadão do único estado no mundo contemporâneo capaz de aspirar a esta situação. Não é essa a minha aspiração para o meu país, nem penso realmente que tal seja possível; mas não vou fingir acreditar que uma *pax americana*, por muito indesejável que seja, seria a pior coisa que poderia acontecer ao mundo de hoje (pode ser a pior coisa que poderia acontecer à

América), e tenho defendido um papel político-militar mais acti-vo em lugares como o Ruanda e o Kosovo. Mas um papel deste tipo está ainda muito longe da hegemonia imperial que, embora possamos apreciá-la pela paz que trouxe consigo (ou apenas por ter posto fim aos massacres), não é, claramente, um dos regimes preferidos. Reduziria alguns dos riscos de um estado global mas não de uma forma estável porque o poder imperial é frequente-mente arbitrário e caprichoso. E mesmo que um determinado império protegesse, de facto, a autonomia comunitária, esta não serviria de nada aos indivíduos encurralados em comunidades opressivas.

Avancemos agora para o centro, a partir do lado direito do *continuum*: afastando-nos um passo da anarquia, chegamos a algo parecido com o esquema actual da sociedade internacional (e por isso este é o menos idealizado dos meus exemplos ideais). No mundo de hoje existe uma série de organizações globais de carácter político, económico e jurídico — as Nações Unidas, o Banco Mun-dial, o Fundo Monetário Internacional (FMI), a Organização Mun-dial do Comércio (OMC), o Tribunal Internacional, etc. — que ser-vem para modificar a soberania do estado. Nenhum estado possui a soberania absoluta, descrita pelos teóricos políticos do início dos tempos modernos, que leva à anarquia no seu sentido mais forte. Por outro lado, as organizações globais são fracas; os seus mecanis-mos de decisão são inseguros e lentos; as suas capacidades de exe-cução são reduzidas e, no máximo, só parcialmente eficazes. As guerras entre dois ou mais estados diminuíram, mas não diminuiu a violência global. Existem muitos estados fracos, divididos e instá-veis nos mundo de hoje, e o regime global não conseguiu evitar guerras civis, intervenções militares, repressão selvagem dos inimi-gos políticos, massacres e "limpeza étnica" de populações minoritá-rias. Não diminuiu também a desigualdade global, apesar dos movimentos de capitais transfronteiriços (e da mobilidade dos tra-balhadores, julgo) estarem mais facilitados do que nunca — e, se-gundo os teóricos do mercado livre, este facto deveria ter efeitos de igualização. Seja como for, não nos podemos sentir felizes com o estado actual do mundo; na realidade, a combinação de (muitos) estados fracos com organizações globais fracas traz desvantagens de ambas as direcções: a protecção da diferença étnica e religiosa é inadequada, assim como a protecção dos direitos individuais e a promoção da igualdade.

Necessitamos, assim, de avançar mais em direcção à centralização. O próximo passo não nos leva, digamos, a umas Nações Unidas com o seu exército e a sua polícia, ou a um Banco Mundial com uma moeda única. Em termos de estratégia intelectual faríamos melhor em tentar criar esquemas desse tipo no outro lado. Considere-se agora os mesmos esquemas "constitucionais" que temos actualmente, reforçados por uma sociedade civil internacional muito mais forte. Os teóricos políticos contemporâneos defendem que a sociedade civil serviu muitas vezes para reforçar o estado democrático. É verdade que as associações que contratam, formam e responsabilizam homens e mulheres vulgares, servem a democracia mais eficazmente do que outros regimes. Mas provavelmente reforçam qualquer estado que encoraje a vida associativa em vez de a reprimir. Reforçariam elas também as organizações internacionais semi-governamentais que agora existem? Sou levado a pensar que já o fazem de uma forma modesta, e que poderiam fazê-lo de uma forma muito mais intensa.

Imaginemos um vasto leque de associações cívicas — de ajuda mútua, de defesa dos direitos humanos, de protecção das minorias, de luta pela igualdade homem/mulher, de defesa do ambiente, de progresso no trabalho — organizadas numa escala muito mais alargada do que a que actualmente existe; os centros de todos estes grupos seriam diferentes dos centros de estados particulares; funcionariam para lá das fronteiras estatais e recrutariam activistas e apoiantes, sem referência de nacionalidade. Todos eles se dedicariam a actividades do tipo daquelas a que também os governos se deveriam dedicar — e aqui os compromissos governamentais são mais eficazes quando apoiados (ou até iniciados) por cidadãos voluntários. Quando os voluntários forem em número suficiente, exercerão pressão sobre os estados individuais para que estes coo-perem uns com os outros e com as agências globais; e o seu próprio trabalho aumentará a eficácia da operação.

Mas estas associações de voluntários coexistem na sociedade civil internacional com as companhias multinacionais que dirigem exércitos de profissionais e de gestores bem pagos e que ameaçam dominar todos os outros actores globais. Isto é igualmente uma ameaça, não um sucesso — as companhias não escaparam inteira-mente ao controlo da Nação-Estado, mas a ameaça não é imaginá-ria. E posso descrever apenas um conjunto imaginário de forças em equilíbrio numa sociedade civil alargada: sindicatos multinacionais, por exemplo, e partidos políticos que operam para além das fron-teiras nacionais. É claro que, num estado global ou num império mundial, as empresas multinacionais seriam instantaneamente in-ternalizadas, pois não haveria lugar para a sua multiplicação, nem fronteiras que elas pudessem atravessar. Mas esta não é uma solu-ção automática para os problemas que criam; numa sociedade nacional, tal como numa sociedade internacional, estas multinacio-nais põem em causa o poder regulador e redistributivo das autori-dades políticas. Exigem uma resposta política e prática, e a socieda-de civil internacional proporciona o melhor espaço disponível para o desenvolvimento destas políticas.

O melhor espaço disponível, mas não necessariamente sufi-ciente para esta tarefa: é uma característica das associações da socie-dade civil correrem atrás dos problemas; reagem às crises; a sua capacidade de prever, planear e prevenir está muito aquém da do estado. Os seus activistas são muito mais capazes de prestar heroi-camente assistência às vítimas de uma epidemia do que de pôr an-tecipadamente em prática medidas de saúde preventivas. Só che-gam à zona de combate a tempo de prestar assistência aos feridos e de dar abrigo aos refugiados. Lutam para organizar uma greve contra os salários baixos e as condições de trabalho brutais, mas são incapazes de moldar a economia. Protestam contra desastres ambientais que já são desastrosos. Mesmo quando prevêem que se avizinham problemas, o seu poder institucional é demasiado fraco para poderem agir com eficácia; não são responsáveis pelo estado no seu todo e os seus avisos são muitas vezes ignorados, precisamente porque são vistos como irresponsáveis. Quanto aos problemas duradouros subjacentes à sociedade internacional — sobretudo a insegurança e a desigualdade — as associações civis são, no máximo, factores de moderação: os seus activistas podem fazer muitas coisas boas, mas não podem fazer a paz num país dilacerado pela guerra civil, nem proceder à redistribuição dos recursos numa escala significativa.

Quero avançar mais um passo em direcção ao centro, a partir do lado esquerdo do *continuum,* mas começarei por resumir os passos dados até agora. Porque este próximo passo, e o que será dado a seguir, nos aproximarão do que me parece serem as possibilidades mais interessantes, tenho que caracterizar e também que nomear as possibilidades menos atraentes que já foram esboçadas. Comecemos por notar que o lado direito do *continuum* é um reino de pluralismo e o lado esquerdo um reino de unidade. Esta descrição de direita e esquerda não me agrada muito; sempre houve tendências pluralistas à esquerda e é com essas tendências que me identifico. Porém, não deixa de ser verdade que a unidade tem sido a ambição dominante dos partidos e movimentos esquerdistas; por isso não faz muito sentido, pelo menos nesta ocasião, perder tempo a debater a correcção da noção de direita e de esquerda no *continuum.*

Começando, então, pela direita, defini três sistemas no sentido de uma maior centralização, mas fazendo-o paradoxalmente através de um aumento do pluralismo dos agentes. Primeiro, há a anarquia dos estados, onde não existem agentes reais para além dos governos que agem em nome da soberania do estado. Em seguida, acrescentamos a estes governos uma pluralidade de organizações políticas e financeiras internacionais com uma certa autoridade que limitam mas não eliminam a soberania e, em seguida, acrescentamos-lhe uma pluralidade de associações internacionais que funcionam para além das fronteiras e que servem para reforçar as restrições à acção do estado. Temos, assim, a anarquia internacional e, depois, dois graus de pluralismo global.

À esquerda defini, até agora, apenas dois sistemas que avançam em direcção a uma maior divisão, mantendo embora a ideia de um centro único. O primeiro é o estado global, o menos dividido dos regimes que se possa imaginar, cujos membros são homens e mulheres individuais. O segundo é o império global, cujos membros são as nações submetidas. A hegemonia da nação imperial separa-a das outras nações sem as eliminar.

O passo seguinte em direcção ao centro, a partir da esquerda, acarreta o fim da sujeição: o novo sistema é uma federação de estados-nação, uns Estados Unidos do Mundo. A força do centro, do governo federal, dependerá dos direitos que lhe serão livremente cedidos pelos estados membros e do carácter, directo ou indirecto, da sua jurisdição sobre os cidadãos individuais. Os defensores daquilo a que os americanos chamam "direitos dos estados" quererão uma jurisdição mediada, com menos direitos cedidos ao centro. É óbvio que, quanto maior for o papel mediador dos estados membros, mais este sistema se deslocará para a direita no *continuum;* se a mediação desaparecer totalmente, voltamos ao extremo esquerdo, ao estado global. A fim de encontrarmos um espaço para este regime federal, temos de imaginar que os estados membros renunciam à soberania e que haja, em seguida, uma divisão de poder funcional, garantida constitucionalmente, de modo a que os estados fiquem com responsabilidades importantes e tenham os meios necessários para as assumir — uma versão, pois, do sistema americano projectado internacionalmente. Umas Nações Unidas muitíssimo fortalecidas, que incorporassem o Banco Mundial e o Tribunal Internacional, aproximar-se-iam deste modelo, desde que tivessem poder para coagir os estados membros que se recusassem a obedecer às suas resoluções e veredictos. Se as Nações Unidas mantivessem a sua estrutura actual, com o Conselho de Segurança tal como está agora constituído, a federação global seria uma oligarquia ou talvez, dado que a

Assembleia Geral representa uma espécie de democracia, um regime misto. É difícil imaginar qualquer outro tipo de federação, tendo em conta as desigualdades actuais de riqueza e poder entre estados. Os oligarcas não cederão terreno e qualquer regime federal eficaz teria de aceitar viver com eles (embora, a longo prazo, pudesse também diminuir a força deles).

É provavelmente mais difícil lidar com estas desigualdades do que com eventuais diferenças políticas entre os estados. Mesmo que todos os estados fossem repúblicas, como Kant aspirava, a federação seria ainda, total ou parcialmente, oligárquica, enquanto a distribuição de recursos existente não se alterasse. E neste caso oligarquia representa divisão; modula drasticamente os poderes do centro. Em contraste, o carácter político dos estados membros tenderia a tornar-se cada vez mais idêntico; neste caso o avanço seria no sentido da unidade ou, pelo menos, da uniformidade. Porque todos os estados seriam integrados na mesma estrutura constitucional, vinculados, por exemplo, aos mesmos códigos de direitos sociais e políticos, e muito menos capazes do que hoje de ignorar estes direitos. Os cidadãos que se achassem oprimidos apelariam para os tribunais federais e presume-se que estes problemas se resolveriam rapidamente. Mesmo que os estados membros não fossem à partida democracias, com o tempo tornar-se-iam uniformemente democráticos.

Sendo eu um democrata, devia achar esta solução mais atraente do que na realidade acho; o problema é que ela será mais facilmente atingida através da pressão do centro do que através do activismo democrático com origem nas bases. Uma combinação de ambas as coisas talvez desse bons resultados. Mas quero sublinhar que a minha própria preferência pela democracia não chega para acreditar que esta preferência devesse ser aplicada uniformemente a todas as comunidades políticas. A democracia tem de ser conseguida através de um processo político que, por natureza, também pode produzir resultados diferentes. Sempre que estes resultados ameaçam a vida e a liberdade, é necessário intervir. Mas nem sempre isto acontece e quando não acontece as diferentes formações políticas emergentes têm de ter espaço para se desenvolverem (e modificarem). Mas conseguiria uma federação global viver em paz com o pluralismo político?

É de longe mais provável que viva em paz com a desigualdade material. Um regime federal redistribuiria os recursos mas apenas dentro dos limites definidos pelos seus oligarcas (mais uma vez a Comunidade Europeia fornece os exemplos). Quanto maior for o poder adquirido pelo governo central, mais redistribuição haverá. Este tipo de poder seria, contudo, perigoso para todos os estados membros e não apenas para os mais ricos de entre eles. O modo de conseguir um equilíbrio não é evidente; essa seria presumivelmente uma das questões centrais da política interna da federação (mas não haveria outra política pois, por definição, nada é exterior à federação).

As garantias constitucionais serviriam para proteger os grupos nacionais e étnicos/religiosos. Parece ser esta a ideia de Kant: "Numa liga desta natureza, todas as nações, mesmo as mais pequenas, podem contar com segurança e direitos…" (*Ideia Para uma História Universal com Intenções Cosmopolitas,* Sétima Tese). A realidade, porém, é que apenas aqueles grupos que tivessem conseguido soberania antes da federação ter sido formada, encontrariam um lugar seguro no seu seio. Por isso seria necessário um procedimento que visasse reconhecer e garantir os direitos dos novos grupos, assim como um código de direitos para os indivíduos que não tivesse em conta a sua pertença a este ou àquele grupo. Pode imaginar-se que o regime federal acabaria por ser o guardião tanto dos grupos como dos indivíduos excêntricos — tal como acontece nos Estados Unidos, por exemplo, onde as minorias radicais e os cidadãos idiossincráticos apelam normalmente ao Governo Central quando são mal tratados pelas autoridades locais. Porém, quando estes apelos não resultam, os americanos têm opções de que não disporiam os cidadãos de uma união global: podem recorrer às Nações Unidas ou ao Tribunal Internacional ou podem deslocar-se para outro país. A divisão e o pluralismo ainda têm algumas vantagens.

Avancemos agora mais um passo em direcção ao centro a partir da direita, tentando imaginar uma forma de divisão coerente. Estou a pensar na habitual anarquia dos estados, mitigada e controlada por um conjunto triplo de agentes não estatais: organizações como as Nações Unidas, as associações da sociedade civil internacional e as uniões regionais como a Comunidade Europeia. Este é o terceiro grau do pluralismo global, e na sua versão (ideal) totalmente desenvolvida ele proporciona o maior número de oportunidades de acção política em nome da paz, da justiça, das diferenças culturais e dos direitos individuais; é, ao mesmo tempo, o que apresenta o menor risco de uma tirania global. É claro que as oportunidades de acção não são mais do que isso; não implicam quaisquer garantias; e haverá certamente conflitos entre homens e mulheres que defendem estes valores diferentes. Imagino este último regime como algo que contextualiza a política no seu sentido mais lato, assim como o maior empenhamento possível dos cidadãos vulgares.

O CONTINUUM

Do lado esquerdo: UNIDADE
Estado global/Império multinacional/Federação

$\longrightarrow$

Do lado direito: DIVISÃO
3º grau/2º grau/1º grau de pluralismo global/Anarquia

$\longleftarrow$

Considere-se mais uma vez as características perturbadoras dos primeiros cinco regimes, possivelmente até dos primeiros seis: nalguns deles, o mundo descentrado e os estados auto-centrados que o habitam (quer estes estados sejam fortes ou fracos) constituem uma ameaça para os nossos valores; noutros, é o potencial tirânico do centro recém-construído que constitui o perigo. Por isso o problema é ultrapassar a descentralização radical dos estados soberanos sem criar um regime central único e todo-poderoso.

E a solução que quero defender, o 3° grau de pluralismo global, é mais ou menos esta: criar uma série de centros alternativos e uma rede cada vez mais densa de laços sociais que atravessem as fronteiras dos estados. A solução é construir sobre as estruturas institucionais que agora existem, ou que estão lentamente a formar-se, e reforçá-las a todas, mesmo se estiverem em concorrência umas com as outras.

Assim, o 3ª grau do pluralismo global exige umas Nações Unidas com uma força militar própria capaz de intervenções humanitárias e com um forte potencial de manutenção da paz — mas que continue a ser uma força que só pode ser utilizada com a aprovação do Conselho de Segurança ou de uma grande maioria da Assembleia Geral. É, pois, necessário um Banco Mundial e um FMI suficientemente fortes para regularem o fluxo de capitais e as formas de investimento internacional, e uma OMC capaz de executar as normas laborais e ambientais, assim como os acordos comerciais — todos estes organismos têm no entanto de ser geridos independentemente e não em coordenação estreita com as Nações Unidas. Este 3° grau exige também um Tribunal Internacional com poderes para proceder a detenções, mas que precisa do apoio das Nações Unidas face à oposição de qualquer um dos estados (semi-soberanos) da sociedade internacional. Acrescente-se a estas organizações um grande número de associações cívicas que operam internacionalmente, incluindo os partidos políticos que apresentam candidatos às eleições de diferentes países, e os sindicatos que concretizam o seu muito almejado objectivo de solidariedade internacional, assim como movimentos de um tipo mais familiar que se dedicam a um único objectivo. Quanto maior for o número de membros destas associações e quanto mais elas se estenderem para além-fronteiras, mais unirão as políticas da sociedade global. Mas nunca constituirão um centro único; representarão sempre múltiplas fontes de energia política; terão sempre focos de interesse diversos.

Acrescente-se agora uma nova categoria de organização governamental — a federação regional, da qual a CE é apenas um modelo possível. É necessário imaginar estruturas, ao mesmo tempo mais coesas e flexíveis, distribuídas por todo o globo, talvez até com uma sobreposição dos seus membros: uniões federais diferentemente constituídas em diferentes partes do mundo. Isso traria muitas das vantagens de uma federação global, mas reduziria grandemente os riscos da tirania do centro. Porque a existência de muitos centros é uma característica fundamental do regionalismo.

Para apreciar a beleza deste sistema pluralista há que atribuir um valor maior à possibilidade política, e ao activismo por ela gerado, do que à certeza do sucesso político. Na minha opinião a certeza é sempre uma fantasia, mas não quero negar que algo se perde quando se abandonam as versões mais unitárias do globalismo. Aquilo que se perde é a esperança de criar, de uma penada, um mundo mais igualitário — com um acto legislativo simples, decretado a partir de um centro único. E a esperança de conseguir a paz perpétua, o fim do conflito e da violência em toda a parte para sempre. E a esperança de uma cidadania e de uma identidade singulares para todos os indivíduos humanos — para que sejam homens e mulheres autónomos, e nada mais.

Apresso-me a corrigir aquilo que até agora este argumento pode sugerir a muitos leitores: não falo em sacrificar todas estas esperanças apenas em nome do "comunitarismo" — quer dizer, em nome da diferença cultural e religiosa. Este é um valor importante e é indubitável que fica bem servido pelo 3º grau de pluralismo (na verdade, os diferentes níveis de governo permitem novas oportunidades de auto-expressão e autonomia aos grupos minoritários, até então subordinados no seio da nação-estado). Mas a diferença, enquanto valor, existe ao lado da paz, da igualdade e da autonomia: não prevalece sobre estas. O que eu defendo é que politicamente se alcançarão melhor todos estes valores se seguirmos por várias vias, se os buscarmos através de vários agentes. O sonho de um agente único — o déspota iluminado, o império civilizador, a vanguarda comunista, o estado global — é um logro. Precisamos de muitos agentes, de muitas arenas de actividade e decisão. Os valores políticos têm de ser defendidos em diferentes lugares, de modo a que um insucesso aqui seja um incentivo para a acção acolá, e o sucesso obtido acolá seja um modelo a ser imitado aqui.

Mas haverá fracassos e haverá sucessos e, antes de terminar, tenho de me debruçar sobre três fracassos possíveis — de forma a sublinhar que todos os esquemas, incluindo aquele que prefiro, têm os seus perigos e as suas vantagens. O primeiro é o possível fracasso da manutenção da paz, que é também hoje em dia um fracasso no que toca à protecção das minorias étnicas ou religiosas. As guerras entre dois ou mais estados serão raras numa sociedade internacional organizada numa rede densa. Mas o próprio sucesso da política da diferença pode levar a conflitos internos que, por vezes, chegarão a ser "limpeza étnica" ou até guerra civil de genocídio. Todos os regimes com um centro forte alegam que este tipo de coisas acabará, mas o preço a pagar para lhes pôr fim — e a manutenção da capacidade de o fazer — é uma tirania sem fronteiras, um regime mais "total" do que aquele que a teoria do totalitarismo alguma vez imaginou. O perigo de todos os regimes descentrados e multi-centrados é que ninguém porá fim ao horror. O 3º grau de pluralismo maximiza o número de agentes que lhe poderiam pôr fim ou, pelo menos, minorar os seus efeitos: os estados individuais que agem unilateralmente (como os vietnamitas quando encerraram campos de morte do Camboja), as alianças e as uniões de estados (como a NATO na guerra do Kosovo), as organizações globais (como as Nações Unidas) e os voluntários da sociedade civil internacional (como os Médicos Sem Fronteiras). Mas não existe nenhum agente nomeado para tal missão, nem uma responsabilidade única; tudo espera pelo debate e pela decisão política — e a espera pode ser demasiado longa.

O segundo fracasso possível encontra-se na promoção da igualdade. Também neste caso o 3º grau de pluralismo fornece muitas oportunidades de reforma igualitária e haverá certamente muitas experiências em diferentes sociedades ou a níveis diferentes de governo (como os kibutzes israelitas ou o estado providência escandinavo, ou os esforços redistributivos da CE ou a proposta "taxa Tobin" sobre as transacções financeiras internacionais). Mas as forças que se opõem à igualdade nunca terão de fazer face ao poder das massas daqueles que nada têm, porque não haverá uma arena global em que este poder se possa reunir em massa. Em contrapartida, muitas organizações tentarão mobilizar os que nada têm e exprimir as suas aspirações, cooperando às vezes umas com as outras, mas entrando outras vezes em concorrência entre si.

O terceiro fracasso possível situa-se na área da defesa da liberdade individual. Mais uma vez, o pluralismo dos estados, das culturas e das religiões — mesmo que a soberania total já não exista em lado nenhum — significa que indivíduos em diferentes situações terão direitos diferentes e serão diferentemente protegidos. Podemos (e devemos) defender uma interpretação mínima dos direitos humanos, e tentar que esta seja aplicada universalmente, mas a aplicação no 3º grau de pluralismo envolveria muita gente e portanto muitos debates e decisões, com resultados necessariamente irregulares.

Poderá um regime aberto a estes fracassos ser um regime mais justo? Quero apenas advogar que este é o sistema político que mais facilita a busca quotidiana da justiça, nas condições menos perigosas para a causa global da justiça. Todos os outros regimes são piores, incluindo aquele que se situa no extremo esquerdo do *continuum* e que foi o que suscitou maiores esperanças. Porque é um erro imaginar a Razão no poder num estado global — um erro tão grande (ou um erro do mesmo tipo) quanto seria imaginar a futura ordem mundial como um reino milenar, onde Deus é o Rei. Os dirigentes que os regimes deste tipo exigiriam não existem ou, pelo menos, não se manifestam politicamente. Em contrapartida, o movimento em direcção ao pluralismo agrada a pessoas como nós, demasiado realistas e apenas intermitentemente razoáveis, para quem a política é uma actividade "natural".

Finalmente, o movimento em direcção ao 3º grau de pluralismo é realmente um *movimento*. Ainda lá não chegámos; temos de "caminhar muitos quilómetros antes de podermos dormir". Não foram ainda criados os tipos de agências governamentais necessárias numa era de globalização; o nível de participação da sociedade civil internacional é demasiado baixo; as federações regionais estão ainda a dar os primeiros passos. Raramente se procuram reformas nestas áreas institucionais em nome das próprias reformas. Há poucas pessoas suficientemente interessadas. Só reforçaremos o pluralismo global se o pusermos em prática, se agarrarmos as oportunidades que ele proporciona. Não haverá progressos a qualquer nível institucional, excepto no contexto de uma campanha ou, melhor dizendo, de numa série de campanhas a favor de uma maior segurança e de uma maior igualdade de grupos e de indivíduos em todo o globo.

AGRADECIMENTOS

Este livro é, na realidade, uma criação do meu amigo Otto Kalscheuer, que foi quem primeiro reuniu estes artigos num livro publicado na Alemanha com o título *Erklärte Kriege — Kriegser-klärungen* (Hamburgo, Sabine Groenewold Verlag, 2003). Acrescentei um par de artigos e desloquei um outro para uma nova posição, mas basicamente mantive o alinhamento do livro. Nunca tinha pensado em reunir estes ensaios até ele me mostrar como fazê-lo.

"O triunfo da teoria da guerra justa (e os perigos do sucesso)" começou por ser uma palestra numa conferência organizada por Arien Mack, na New School University, em Abril de 2002; foi publicada em *Social Research,* na edição do Inverno de 2002. "Dois tipos de responsabilidade militar" foi uma palestra na Academia Militar dos E.U.A, em West Point, em Maio de 1980 e foi publicada em *Parameters,* em Março de 1981. "Ética de urgência" foi a palestra distinguida com o prémio Joseph A. Reich, Sr., Distinguished Lecture na Academia da Força Aérea, em Novembro de 1988 e foi inicialmente publicada sob a forma de panfleto pela Academia. "Terrorismo: uma crítica das desculpas" surgiu em *Problems of International Justice,* editado por Steven Luper-Foy (Boulder, Westview Press, 1988). "A política de salvamento" foi escrito para uma conferência anterior da New School, organizada por Arien Mack, que teve lugar em Novembro de 1994; foi inicialmente publicado em *Dissent,* no Inverno de 1995, e em *Social Research,* nesse mesmo ano, uns tempos depois.

"Justiça e injustiça na Guerra do Golfo" é o prefácio à segunda edição de *Just and Unjust Wars* (Nova Iorque: Basic Books, 1992). Foi publicada uma versão ligeiramente diferente, que utilizei aqui, em *But Was It Just? Reflections on the Morality of the Persian*

Gulf War, editado por David E. DeCosse (Nova Iorque: Doubleday, 1992). "Kosovo" foi escrito para o número de Verão de *Dissent*. "A *Intifada* e a Linha Verde" foi publicado em *The New Republic* sob o título "The Green Line: After the Uprising, Israel's New Border", em Setembro de 1988. "As quatro guerras entre Israel e a Palestina" foi publicado na edição do Outono de 2002 de *Dissent* e "Depois do 11 de Setembro: cinco perguntas sobre o terrorismo" no número do Inverno de 2002. "Inspectores sim, guerra não" surgiu em *The New Republic*, em Setembro de 2002. "A via correcta" foi inicialmente publicado no *Le Monde* e no *Frankfurter Rundschau,* em Janeiro de 2003; a versão que aqui utilizo foi publicada em *The New York Review of Books* em Março. "O que uma pequena guerra poderia fazer" foi um artigo de opinião publicado no *The New York Times* em Março de 2003. "Então, será isto uma guerra justa?" apareceu no sítio Web de *Dissent,* nesse mesmo mês, no dia a seguir ao início da guerra. "Ocupações justas e injustas" foi escrito para este livro em Novembro de 2003 e publicado em *Dissent,* no número de Inverno de 2004.

"Governar o globo" foi a palestra *Multatuli* proferida na Universidade de Lovaina, em Abril de 1999; esta versão foi publicada em *Dissent*, no Outono de 2000.

Agradeço a todos os editores e publicistas que me deram o espaço necessário para publicar as minhas ideias, nomeadamente aos meus colegas de revista *Dissent* e a Marty Peretz e Peter Beinert, de *The New Republic,* que publicaram os meus artigos apesar de discordarem fortemente deles. Devo agradecimentos a muitas pessoas pelos seus comentários, críticas e encorajamento — entre elas a Joanne Barkan, Gary Bass, Leo Casey, Mitchell Cohen, Michael Doyle, Jean Bethke Elshtain, Clifford Geetz, Todd Gitlin, Anthony Hartle, Stanley Hauerwas, Brian Hehir, Stanley Hoffmann, James Turner Johnson, Michael Kazin, Ted Koontz, Terry Nardin, Brian Orend, Bart Pattyn, Jim Rule, Henry Shue, Ann Snitow e Malham M. Wakin. Judy Walzer leu a maioria destes artigos, numa e noutra versão, e anotou à margem as frases de que eu havia de me arrepender (e eu reescrevi-as). Ame Dyckman detectou onde se encontravam as várias versões destes artigos e coligiu as autorizações necessárias à sua reimpressão.

Quero aproveitar a ocasião para lembrar Martin Kessler, o editor de Basic Books, que trabalhou comigo em *Just and Unjust Wars* e que é grandemente responsável por este empreendimento. Suponho que teria embarcado nele, como cidadão e como activista político, mas foi Martin quem primeiro sugeriu que escrevesse um livro e que ficou de atalaia durante os anos em que o escrevi.

RECONHECIMENTO

Agradeço, reconhecido, a autorização para reimprimir os seguintes artigos, ensaios e palestras:

"Depois do 11 de Setembro: cinco perguntas sobre o terrorismo", *Dissent* (Inverno 2002), 5-16; "As quatro guerras entre Israel e a Palestina", *Dissent* (Outono 2002), 26-33; "Governar o globo", *Dissent* (Outono de 2000), 44-51; "Kosovo", *Dissent* (Verão 1999), 5-7; "A política de salvamento", *Dissent* (Inverno 1995), 35-41; "Então, será isto uma guerra justa?", *Dissent* (exclusivo da Web, 20 de Março de 2003). Estes seis artigos são reeditados com autorização da *Dissent*.

"Ética de urgência", *The Joseph A. Reich, Sr., Distinguished Lecture on War, Morality and the Military Profession*, número 1 (21 de Novembro de 1988). Pronunciado na Academia da Força Aérea dos Estados Unidos, Colo. Reeditado com autorização da Academia.

"The Green Line: After the Uprising, Israel's New Border", *The New Republic,* 199 (5 de Setembro de 1988), 22-24; "No Strikes: Inspectors Yes, War No", *The New Republic* 227 (30 de Setembro de 2002), 19-22. Ambos os artigos são reeditados com autorização de *The New Republic*.

"Justiça e injustiça na Guerra do Golfo" foi originalmente o prefácio à segunda edição de "After the Gulf", em Michael Walzer, *Just and Unjust Wars: A Moral Argument with Historical Illustrations* (Nova Iorque, Basic Books, 1992), xi-xxiii. "Terrorismo: uma crítica das desculpas" foi publicado em Steven Luper-Foy, ed., *Problems of International Justice* (Boulder, Colo.: Westview Press, 1988), 237-247. A Basic Books e a Westview Press são membros de

Perseus Books Group, Nova Iorque, N. I. Ambos os artigos foram retomados com autorização de Perseus Books Group.

"A via correcta", *The New York Review of Books* (13 de Março de 2003), 4. Reeditado com autorização de *The New York Review of Books* © 2003 NYREV, Inc.

"O triunfo da teoria da guerra justa (e os perigos do sucesso)", © *Social Research*, 69, Número 4 (Inverno de 2001), 925-944. Reeditado com autorização.

"Dois tipos de responsabilidade militar", *Parameters: Journal of The U.S. Army War College* 11 (Março de 1981), 2-46. Reeditado com autorização de *Parameters*.

"O que uma pequena guerra poderia fazer", *The New York Times* (7 de Março de 2003), A27. © 2003, The New York Times Company. Reeditado com autorização.

ÍNDICE REMISSIVO

Acabou de imprimir-se
em Julho de 2004
na Guide, Artes Gráficas (Odivelas)
numa tiragem de 2000 exemplares.

DEPÓSITO LEGAL 213714/04